中國文化二十四品

中国文化二十四品

饶宗颐 叶嘉莹 顾问
陈洪 徐兴无 主编

書史縱橫

中国文化中的典籍

程章灿 许勇 著

江苏人民出版社

**图书在版编目（ＣＩＰ）数据**

书史纵横：中国文化中的典籍 / 程章灿，许勇著.
-- 南京：江苏人民出版社，2017.1
（中国文化二十四品）
ISBN 978-7-214-17399-7

Ⅰ．①书… Ⅱ．①程… ②许… Ⅲ．①图书史－中国
－古代 Ⅳ．①G256.1

中国版本图书馆CIP数据核字(2016)第048220号

| | | |
|---|---|---|
| 书　　　名 | 书史纵横——中国文化中的典籍 | |
| 著　　　者 | 程章灿　许　勇 | |
| 责 任 编 辑 | 史雪莲 | |
| 责 任 校 对 | 卞清波 | |
| 装 帧 设 计 | 刘莘莘　张大鲁 | |
| 出 版 发 行 | 凤凰出版传媒股份有限公司 | |
| | 江苏人民出版社 | |
| 出版社地址 | 南京市湖南路 1 号 A 楼，邮编：210009 | |
| 出版社网址 | http://www.jspph.com | |
| 经　　　销 | 凤凰出版传媒股份有限公司 | |
| 照　　　排 | 南京凯建图文制作有限公司 | |
| 印　　　刷 | 江苏凤凰扬州鑫华印刷有限公司 | |
| 开　　　本 | 652 毫米×960 毫米　1/16 | |
| 印　　　张 | 11　　插页 3 | |
| 字　　　数 | 122 千字 | |
| 版　　　次 | 2017 年 1 月第 1 版　2017 年 3 月第 2 次印刷 | |
| 标 准 书 号 | ISBN 978 - 7 - 214 - 17399 - 7 | |
| 定　　　价 | 26.00 元 | |

（江苏人民出版社图书凡印装错误可向承印厂调换）

# 编委会名单

# 总　序

陈　洪　徐兴无

　　我们生活在文化之中，"文化"两个字是挂在嘴边上的词语，可是真要让我们说清楚文化是什么，可能就会含糊其词、吞吞吐吐了。这不怪我们，据说学术界也有 160 多种关于文化的定义。定义多，不意味着人们的思想混乱，而是文化的内涵太丰富，一言难尽。1871 年，英国文化人类学家爱德华·泰勒的《原始文化》中给出了一个定义："文化，或文明，就其广泛的民族学意义上来说，是包含全部的知识、信仰、艺术、道德、法律、风俗，以及作为社会成员的人所掌握和接受的任何其他的才能和习惯的复合体。"[①]其实，所谓"文化"，是相对于所谓"自然"而言的，在中国古代的观念里，自然属于"天"，文化属于"人"，只要是人类的活动及其成果，都可以归结为文化。孔子说："饮食男女，人之大欲存焉。"[②]在这种自然欲望的驱动下，人类的活动与创造不外乎两类：生产与生殖；目标只有两个：生存与发展。但是人的生殖与生产不再是自然意义上的物种延续与食物摄取，人类生产出物质财富与精神财富，不再靠天吃饭，人不仅传递、交换基因和大自然赋予的本能，还传承、交流文化知识、智慧、情感与信仰，于是人种的繁殖与延续也成了文化的延续。

　　所以，文化根源于人类的创造能力，文化使人类摆脱了

---

　　① ［英］爱德华·泰勒：《原始文化》，连树声译，谢继胜、尹虎彬、姜德顺校，广西师范大学出版社，2005 年，第 1 页。

　　② 《礼记·礼运》。

自然,创造出一个属于自己的世界,让自己如鱼得水一样地生活于其中,每一个生长在人群中的人都是有文化的人,并且凭借我们的文化与自然界进行交换,利用自然、改变自然。

由于文化存在于永不停息的人类活动之中,所以人类的文化是丰富多彩、不断变化的。不同的文化有不同的方向、不同的特质、不同的形式。因为有这些差异,有的文化衰落了甚至消失了,有的文化自我更新了,人们甚至认为:"文化"这个术语与其说是名词,不如说是动词。① 本世纪初联合国发布的《世界文化报告》中说,随着全球化的进程和信息技术的革命,"文化再也不是以前人们所认为的是个静止不变的、封闭的、固定的集装箱。文化实际上变成了通过媒体和国际因特网在全球进行交流的跨越分界的创造。我们现在必须把文化看作一个过程,而不是一个已经完成的产品"②。

知道文化是什么之后,还要了解一下文化观,也就是人们对文化的认识与态度。文化观首先要回答下面的问题:我们的文化是从哪里来的? 不同的民族、宗教、文化共同体中的人们的看法异彩纷呈,但自古以来,人类有一个共同的信仰,那就是:文化不是我们这些平凡的人创造的。

有的认为是神赐予的,比如古希腊神话中,神的后裔普罗米修斯不仅造了人,而且教会人类认识天文地理、制造舟车、掌握文字,还给人类盗来了文明的火种。代表希伯来文化的《旧约》中,上帝用了一个星期创造世界,在第六天按照自己的样子创造了人类,并教会人们获得食物的方法,赋予人类管理世界的文化使命。

---

① 参见[荷兰]C. A. 冯·皮尔森:《文化战略》,刘利圭等译,中国社会科学出版社,1992年,第2页。

② 联合国教科文组织编:《世界文化报告——文化的多样性、冲突与多元共存》,关世杰等译,北京大学出版社,2002年,第9页。

有的认为是圣人创造的,这方面,中国古代文化堪称代表:火是燧人氏发现的,八卦是伏羲画的,舟车是黄帝造的,文字是仓颉造的……不过圣人创造文化不是凭空想出来的,而是受到天地万物和自我身体的启示,中国古老的《易经》里说古代圣人造物的方法是:"仰则观象于天,俯则观法于地,观鸟兽之文与地之宜,近取诸身,远取诸物。"《易经》最早给出了中国的"文化"和"文明"的定义:"刚柔交错,天文也。文明以止,人文也。观乎天文,以察时变;观乎人文,以化成天下。"文指文采、纹理,引申为文饰与秩序。因为有刚、柔两种力量的交会作用,宇宙摆脱了混沌无序,于是有了天文。天文焕发出的光明被人类效法取用,于是摆脱了野蛮,有了人文。圣人通过观察天文,预知自然的变化;通过观察人文,教化人类社会。《易经》还告诉我们:"一阴一阳之谓道,继之者善也,成之者性也。仁者见之谓之仁,知者见之谓之知。"宇宙自然中存在、运行着"道",其中包含着阴阳两种动力,它们就像男人和女人生育子女一样不断化生着万事万物,赋予事物种种本性,只有圣人、君子们才能受到"道"的启发,从中见仁见智,这种觉悟和意识相当于我们现代文化学理论中所谓的"文化自觉"。

为什么圣人能够这样呢?因为我们这些平凡的百姓不具备"文化自觉"的意识,身在道中却不知道。所以《易经》感慨道:"百姓日用而不知,故君子之道鲜矣。"什么是"君子之道鲜"?"鲜"就是少,指的是文化不昌明,因此必须等待圣人来启蒙教化百姓。中国文化中的文化使命是由圣贤来承担的,所以孟子说,上天生育人民,让其中的"先知觉后知""先觉觉后觉"①。

---

① 《孟子·万章》。

无论文化是神灵赐予的还是圣人创造的，都是崇高神圣的，因此每个文化共同体的人们都会认同、赞美自己的文化，以自己的文化价值观看待自然、社会和自我，调节个人心灵与环境的关系，养成和谐的行为方式。

中国现在正处在一个喜欢谈论文化的时代。平民百姓关注茶文化、酒文化、美食文化、养生文化，说明我们希望为平凡的日常生活寻找一些价值与意义。社会、国家关注政治文化、道德文化、风俗文化、传统文化、文化传承与创新，提倡发扬优秀的传统文化，说明我们希望为国家和民族寻求精神力量与发展方向。神和圣人统治、教化天下的时代已经成为历史，只有我们这些平凡的百姓都有了"文化自觉"，认识到我们每个人都是文化的继承者和创造者，整个社会和国家才能拥有"文化自信"。

不过，我们越是在摆脱"百姓日用而不知"的"文化蒙昧"时代，就越是要反思我们的"文化自觉"，因为"文化自觉"是很难达到的境界。喜欢谈论文化，懂点文化，或者有了"文化意识"就能有"文化自觉"吗？答案是否定的。比如我们常常表现出"文化自大"或者"文化自卑"两种文化意识，为什么会这样呢？因为我们不可能生活在单一不变的文化之中，从古到今，中国文化不断地与其他文化邂逅、对话、冲突、融合；我们生活在其中的中国文化不仅不再是古代的文化，而且不停地在变革着。此时我们或者会受到自身文化的局限，或者会受到其他文化的左右，产生错误的文化意识。子在川上曰："逝者如斯夫。"流水如此，文化也如此。对于中国文化的主流和脉络，我们不仅要有"春江水暖鸭先知"一般的亲切体会和细微察觉，还要像孔子那样站在岸上观察，用人类历史长河的时间坐标和全球多元文化的空间坐标定位中国文化，才能获得超越的眼光和客观真实的知识，增强与其他文化交

流、借鉴、融合的能力,增强变革、创新自己的文化的能力,这也叫做"文化自主"的能力。中国当代社会人类学家费孝通先生说:

> "文化自觉"是当今时代的要求,它指的是生活在一定文化中的人对其文化有自知之明,并对其发展历程和未来有充分的认识。也许可以说,文化自觉就是在全球范围内提倡"和而不同"的文化观的一种具体体现。希望中国文化在对全球化潮流的回应中能够继往开来,大有作为。①

因为要具备"文化自觉"的意识、树立"文化自信"的心态、增强"文化自主"的能力,所以,我们这些平凡的百姓需要不断地了解自己的文化,进而了解他人的文化。

中国文化是我们自己的文化,它博大精深,但也不是不得其门而入。为此,我们这些学人们集合到一起,共同编写了这套有关中国文化的通识丛书,向读者介绍中国文化的发展历程、特征、物质成就、制度文明和精神文明等主要知识,在介绍的同时,帮助读者选读一些有关中国文化的经典资料。在这里我们特别感谢饶宗颐和叶嘉莹两位大师前辈的指导与支持,他们还担任了本丛书的顾问。

中国文化崇尚"天人合一",中国人写书也有"究天人之际,通古今之变"的理想,甚至将书中的内容按照宇宙的秩序罗列,比如中国古代的《周礼》设计国家制度,按照时空秩序分为"天地春夏秋冬"六大官僚系统;吕不韦编写《吕氏春

---

① 费孝通:《经济全球化和中国"三级两跳"中的文化思考》,《光明日报》2000年11月7日。

秋》，按照一年十二月为序，编为《十二纪》；唐代司空图写作《诗品》品评中国的诗歌风格，又称《二十四诗品》，因为一年有二十四个节气。我们这套丛书，虽不能穷尽中国文化的内容，但希望能体现中国文化的趣味，于是借用了"二十四品"的雅号，奉献一组中国文化的小品，相信读者一定能够以小知大，由浅入深，如古人所说："尝一脔肉，而知一镬之味，一鼎之调。"

2015 年 7 月

# 目　录

**书籍的早期形态**

　　甲骨文与中国书写传统 / 3

　　金石文字的书刻与传播 / 11

　　简帛与书籍制度 / 23

　　原典选读 / 36


**写本时代**

　　纸的发明与使用 / 45

　　抄书、藏书与读书 / 51

　　抄本与稿本 / 58

　　原典选读 / 65


**刻本时代**

　　雕版印刷与活字印刷 / 73

　　历代刻书巡礼 / 79

　　商业刻书与社会文化 / 91

　　原典选读 / 97

**古书的装帧、版式与阅读**

古书的装帧 / 103

古书的版式 / 115

古书的阅读 / 122

原典选读 / 127

**古书聚散与流通**

书籍聚散与公私藏书 / 135

典籍存佚与古籍整理 / 145

书籍流通与文化传承 / 151

原典选读 / 156

# 书籍的早期形态

20 世纪的中国古文献有四大发现举世瞩目,分别为甲骨文、居延汉简、敦煌藏经洞遗书和明清档案。其中甲骨文时代最早,是至今所能见到的最古老的书写文字。这四大发现丰富了中国古代的书写历史与载籍文化,前三项还为我们提供了理解书籍早期形态的宝贵资料。

# 甲骨文与中国书写传统

甲骨文是中国古代商周时期使用的、较为成熟的汉字，因为契刻在龟甲或兽骨之上而得名。这是中国现存最早的汉字，距今已有三千多年的历史，然而，直至 19 世纪末 20 世纪初，甲骨文才偶然被发现。经过研究，甲骨文被确认为中国早期文字，从此震惊世界。

相传在清光绪二十五年（1899），时任北京国子监祭酒的王懿荣因为身患疟疾，派人到中药店购买中药"龙骨"。"龙骨"买回来之后，他打开药包，无意中发现，龙骨上隐隐约约地刻着一些奇形怪状的符号。作为金石学者，王懿荣一开始尚不清楚这些符号的意义，但他却敏感地认识到这些"龙骨"的价值。于是，他开始大量购买"龙骨"，并认真揣摩、研究"龙骨"上所刻的符号。经过不懈解读，并与已知的金石文字相印证,他终于认定,这些刻在龟甲或兽骨上的奇怪符号,就是一种远在篆籀之前、早于周代吉金铭文的中国古代文字。就这样,湮没了三千多年的殷商甲骨文字,以一种颇具戏剧性的方式重见于人间。王懿荣也因此成为最早发现甲骨文的学者。可惜的是,王懿荣还没来得及展开深入研究,就在1900年八国联军进攻北京时壮烈殉国,终年55岁。后人曾撰一联:"抗联军以身殉国,研甲骨而订殷文",来表彰他的爱国之心,铭记他在发现及研究甲骨文方面的文化功绩。

甲骨作为甲骨文的载体,原本是古人用来占卜的工具。占卜是古人假托神的旨意来推断未来吉凶祸福的一种手段,其源头可以追溯到史前时代先民的龟灵崇拜和先兆迷信。从出土的大量甲骨来看,至少在殷商时期,占卜已经非常普遍。商王在处理国家大事或者个人行止时,常常"卜以决疑",就是通过占卜的方式来决断疑虑,指导相关事宜。《周礼·表记》中就有"殷人尊神,率民以事神,先鬼而后礼"的记载,可见殷商时代非常敬神信鬼,占卜的做法十分普遍,大到军国大事,小到个人出行,如果不求神问卜,商人几乎就到了寸步难行的境地。在主要记载周代史事的《左传》一书中,也有"国之大事,唯祀与戎"的说法。"祀"就是祭祀,处理的是人类与鬼神之间的关系;"戎"则是战争,处理的是人群与人群之间的关系。祭祀与战争并列,被周人视为当时国家最为重要的两件大事,这反映的其实是殷商以来形成的观念。以今天的眼光来看,殷人占卜是一种迷信的做法,然而对于三千年前的殷人来说,占卜却是极其庄严的仪式。占卜时,先取来提前整治好的龟甲或兽骨,利用某种工具在甲骨上烧灼(施灼),然后观察烧灼后出现的裂纹(兆),接着根据裂纹的形状(兆象)进行分析并判断吉凶,最后把相关信息契刻或书写在甲骨上,日后与之合验,这样就完成了占卜的过程。

　　具体说来,占卜仪式由专门掌管占卜的贞人集团分工完成。贞人也称为龟人,就是专业的占卜人员。一般而言,一片龟甲或一块兽骨在能够用来占卜之前,必须由龟人对甲骨做必要的技术处理,如选取适当的龟甲,对兽骨进行锯、削、刮、磨等,除此以外,龟人还有保管甲骨的职责。在占卜时,由大卜负责掌握占卜制度及规则,亲验龟甲,主持仪式,并告知占卜之事。菙氏负责燋契,提供燃料及相关工具。卜师主管对甲骨进行钻凿,并烧灼钻凿过的位置,直至呈现卜兆。占人仔细观察卜兆,判定所卜之事的吉凶。占断结束后,由专门的卜官刻写占卜记录。一篇完整的占卜记录,往往包含三个部分:首先是兆序,由于商人常常一事多卜,所以有必要在兆旁刻写数字以示区别。其次为卜辞,在卜兆的显示部位刻写占卜的内容和占断的结果。最后,若占卜应验,还需加刻验辞,就是记录占卜应验的情况。

　　契刻甲骨也就是书写卜辞,这是占卜仪式的重要组成部分,甲骨契刻的完成是占卜仪式完结的标志。与后代用铜钱、竹签等占卜不同,甲骨占卜特别注重占卜辞令的书写,并且直接书刻于甲骨之上。甲骨呈兆以后,将所卜之事与所呈之兆书写于占卜的甲骨之上,不仅是当时一件庄重之事,而且留下一份记录史事的文献。《诗经·大雅·绵》写周人的祖先古公亶父率众奠定基业之时,"爰始爰谋,爰契我龟"。那时还在殷商时代,所以,仍然有以龟甲占卜并契刻龟甲的做法。正因为如此,甲骨成为当时历史记录的重要物质载体,而契刻就是早期中国历史文献书写的主要方式。

　　甲骨质地坚硬,在上面刻字显然不容易。如何将文字契刻于甲骨之上,也就成为学术界讨论的热点问题。一般认为,契刻甲骨肯定利用了尖锐的工具,如青铜刀或者玉刀之类。在河南安阳殷墟的发掘中,就出土了青铜刀、青铜锥、碧玉刻刀等物件。经过学者的研究与试验，青铜刀可以用来契刻甲骨，青铜锥可以刻画细线，如卜辞中的数字符号即可能是用青铜锥刻画出来的。相对而言，玉刀比青铜刀具要脆弱得多，容易折断，即便曾被使用，也不会作为普遍的契刻工具。在中国文字书写的历史上，很长一段时间刀笔并称，其源头就来自甲骨文。

现存的甲骨文，大体有书写和契刻两类，就总体比例而言，书写较少，而契刻尤多。为什么商人在书写与契刻之间，往往选择较为艰难的契刻呢？

契刻文字远比用笔墨书写的文字要保存得久远，这是选择契刻的原因之一。据《吕氏春秋·求人》记载，早在夏禹的时候，就已经将帝王功绩"铭于金石，著于盘盂"了。《墨子·兼爱》则说古代圣王都这么做，"书于竹帛，镂于金石，琢于盘盂"，其目的是"传遗后世子孙"。"铭""镂""琢"等，指的是在金石玉器上刻字，与契刻一脉相承，殊途同归。商朝将文字刻于甲骨，正是继承了前人重视铭刻的传统。

选择契刻更为重要的原因则是古人对于历史记述的重视。商人有史，《尚书·周书·多士》记载："惟殷先人，有册有典。"典册就是殷人的历史文献。这虽是后人的追记，但或多或少能够反映历史的真实。丰富的甲骨文献的出土，也证实了典籍文献中的记载。甲骨并不是单片存在的，每片甲骨都有穿孔，串联在一起方便储存保管，所以甲骨文中的"册"字写作"弸"，像用绳子将几片龟骨串成一串；"典"字则写作"弊"，像双手捧着一串甲骨呈阅读之状。所谓"典册"，也就是指成串成册成编的历史文献档案，这当中自然包括大量的甲骨契刻文献。

甲骨契刻与占卜紧密联系在一起，反映了殷商时期巫史不分的社会状况。自远古时代起，就有能够沟通天地鬼神的巫觋。殷商之世，派专人专职担任巫觋，从而形成一套职业化、世袭化的巫史制度。这一套以"巫"为中心的制度，在西周时代逐渐转变为以"史"为核心的史官制度,从而对中国古代的思想、文化、学术的发展产生了深远影响。这种巫史不分、合二为一的独特的社会文化现象,可以称为巫史传统。

"巫"的身影在先秦典籍中随处可见,它的产生可以追溯到神话时代"绝地通天"的传说。相传蚩尤作乱,上古苗民社会混乱不堪,人民生活苦不堪言。受苦受难的人们哀告于上帝,上帝因此发威惩罚作乱的苗民,并断绝他们与天神的沟通。若想与天神交流,必须通过"重"和"黎"来转达,以此保证天地人神各归其位、各司其职,防止纷乱四起。在这个传说中,人失去了与天地鬼神交流的途径,而"重"和"黎"则成为人神交流的媒介,也就是最早的"巫"。"史"的产生,也是在神话时代。"史"字的本义是史官,在王者身边负责星历、卜筮和记事。相传创造文字的仓颉就是黄帝时期的史官。美国著名社会学家摩尔根在《古代社会》中说过,"文字的使用是文明伊始的一个最准确的标志","没有文字记载,就没有历史,也就没有文明"。将传说中造字的仓颉作为史官建制的伊始,反映了古人早已意识到文字对于历史的重要意义。殷商之世,巫史之职通常集于一人之身。担任巫史之职的人员都是由贵族世袭而来,并直接服务于王。他们有沟通天人的独特功能,有专掌文字的高级地位,实际上,巫史垄断了彼时的书写,也垄断了当时的知识与文化。所以,殷商政治的特点被总结为"巫政合一",它的文化特质则被总结为"巫史不分"。

这种文化特质在占卜仪式与契刻甲骨的过程中得到充分的体现:巫史传达商王与天神的交流,又将交流的信息以文字的方式记录保存下来。巫与史的高度融合,使契刻这种特殊的书写方式在殷商时代发展到鼎盛。作为书写与记录方式的甲骨契刻,不仅为我们保存了殷商时代的大量文字和历史文献,更提供了探索中国古代书籍文化发展的重要起点。

　　中国古代文字的书写排列顺序,都是由上至下、从右往左,顺着直行书写与阅读。这种直行书写的具体原因已难以考查,一般认为,这与中国文字的构造、书写材料、应用工具及某些人为因素有关。一些学者从简牍形制的角度出发,认为这与竹简的形式狭长,便于直行书写有着紧密关联。但是,从出土的大量契刻甲骨来看,直行书写的形式,至少在使用竹简之前的殷商时期已经成为习惯。甲骨卜辞的顺序,与后来刻写于金石、简牍、纸张上的文字排列一致,都是由上至下。只是某些卜辞的行列顺序没有一定的规律,有的自右而左,有的自左而右。即便是刻于同一块龟甲上的两条卜辞,其行列也可能不一致,比如左半边自左而右,右半边自右而左;还有的情况是,两条不同的卜辞,后一条续刻于前一条之后,都自左而右。这种没有定律的书写顺序与甲骨本身的特质有关。由于甲骨能够契刻的面积较小,巫史为了避免遮盖兆象,同时尽可能充分地利用甲骨,有时还会顾及契刻的美观程度,所以常常会选择灵活变通的方法,通过改变行列来顺利完成契刻。不过,大部分卜辞还是遵守自上而下、从右往左的契刻顺序,一些不规则的排列只是偶然的例外。因此,讨论中国古代书写形式的源流,不能仅仅局限于简牍形制的讨论,还有必要从甲骨契刻的角度来解读。

　　中国古代文字的表达追求简洁明了,这一点在甲骨卜辞中体现得相当明显。一般来说,一片完整的甲骨仅巴掌大小,契刻字数由几个字到数十字不等,超过百字的少之又少。在逼仄的空间、简短的篇幅里,要契刻包括占卜的时间、人物、事由、结果等方面的内容,难度很大。巫史为了应对这样的问题,同时降低契刻的难度,在内容撰写方面,早已形成了独特的书写模式。如甲骨中有占问年岁收成的卜辞,常常写作:"乙丑卜,韦贞,我受年?""丙子卜,韦贞,我受年?""丙子

插图一:龟甲卜辞

说明:卜辞内容为:"丙子卜,韦贞,我受年?""丙子卜,韦贞,我不其受年?"

图片来源:郭沫若主编《甲骨文合集》

卜，韦贞，我不其受年?""乙丑""丙子"指时间，"韦"是贞人的名字，"受年"或者"不受年"则是占卜的内容，句式单一，语法简单，内容明确。这种干脆利落、不拖泥带水的叙述方式，逐渐成为早期文献书写共有的特征。

《左传》中记载，晋灵公不行君道，胡作非为。赵盾等人反复进谏，晋灵公不但不予理睬，反而多次加害赵盾，自己却在桃园遭到杀身之祸。逃亡在外的赵盾返回朝中，却并没有诛杀弑灵公的赵穿。这一段纷繁复杂的历史，在晋国太史董狐的笔下仅有寥寥五个字："赵盾弑其君。"又如一部鲁国史书《春秋》，其记史的方式犹如一段段新闻标题，若不是《左传》将"郑伯克段于鄢"的历史铺衍成一段几百字的精彩故事，后人恐怕难以理解其背后隐藏的政治纷争与人情冷暖。此外，卜辞中重视预兆与验证的记事方式，对《左传》的叙事书写也产生了明显的影响。

契刻甲骨鼎盛于殷商之世，步入周代，骤然衰落。甲骨作为书写载体被弃之不用，而契刻作为一种书写方式却得到保留和继承。商周时代的文字，除了甲骨上的卜辞，还见于铜器铭刻和书写简册。铜器上所铭刻的文字，是通过在铸模上刻写文字，然后注入铜液，待冷却后成形的。这种在模具上契刻文字的方式，与盛行于唐宋以后的雕版刻书异曲同工，都可以视为契刻的一种形式。商周以后，契刻在玺印和石刻上又大放异彩。战国的玺印，秦国的石鼓文，秦始皇东巡诸刻包括碣石门的摩崖石刻，汉代以降的各种石刻，都因契刻而流传后世。当我们翻阅一本古书的时候，首先映入眼帘的，常常是一方方精致的藏书印。这些盛行于明清时期的小巧印章，也属于契刻文字。不难发现，作为书写方式的契刻源远流长，而且在后世得到了充分的发展、丰富的创新与广泛的应用。

# 金石文字的书刻与传播

与沉埋世间几千年、默默无闻的甲骨文字不同,金石文字在中国古代一直占据着重要的地位,传播也相当广。从掌握于官方手中到广泛流行于民间,从简单的标识文字到具有传播功能与纪念意义的长篇文字,乃至某些传世篇章成为历史标志与文化象征,金石文字在穿越历史、书写文明的旅程中,留下了别具一格、魅力无限的身影。

金石是青铜器与石刻的合称,很久以前,古人就将两者相提并论。《吕氏春秋·求人》中说,夏禹的时代,功绩"铭于金石,著于盘盂"。青铜器种类繁多,分类方法也不尽相同。马衡先生在《中国金石学概要》一书中根据其用途,将青铜器分为六大类:礼乐器、度量衡、钱币、符玺、服御器、古兵。这六大类基本上包括了古代青铜器的各个方面。在金石学的范畴内,讨论最多的是礼乐器中的钟鼎,又被称为彝器,这是商周时期贵族用以祭祀、颂德的重要器物,也是帝王权力与荣耀的象征。无论是在庄严的祭祀场合,还是在重要的军事场合,都要讲求礼仪,都免不了使用青铜器,铸刻文字于其上,记载国家大事,见证历史。所以,从本质上来说,青铜彝器也就是礼器。它是古代政治权力的工具,也是文化传承中一种特殊的物质形式和文献形式。

青铜器主要使用于商周时期。商代中晚期,青铜器铸造技术得到进一步发展,于是,在青铜器内壁或腹底开始铸上少量带有标识性的文字。1939年出土于河南安阳武官村的司母戊鼎,内壁就铸有"司母戊"3字。1976年出土于河南安阳小屯村殷墟妇好墓的妇好方鼎,其内壁铸刻有"妇好"两字,同时出土的还有司母辛方鼎,内壁也铸有"司母辛"3字。这些简单的文字,是人们在青铜器上铸刻文字的最初尝试,也成为后人命名青铜器的重要依据。到了西周时期,青铜器的铸造技术已经相当成熟,铸刻的文字也随之增多。1976年出土于陕西临潼县零口镇的武王时期利簋,内壁有铭文4行32字,记载了武王伐纣在甲子日晨,并逢岁星当空,与《尚书》中所记载的"时甲子日昧爽,王至于商郊牧野"完全一致。1954年出土于江苏镇江的宜侯夨簋,是周康王时期铸造的青铜器,簋内底的铭文多达120余字,记录了周康王册封一个名叫"夨"的人为宜侯,又对他进行赏赐的政治事件。这是研究西周分封制度的重要史料。更令人赞叹的是清道光时期出土于陕西岐山的毛公鼎,腹内有铭文32行499字,是至今出土的7 000多件铭文青铜器中文字最多的,堪称皇皇巨制,难怪有人认为"抵得一篇《尚书》"。青铜器上铸刻文字日益增多,既体现了铸造技术的进步,也反映了古人书写的欲求越来越强,有了越来越自觉的记述历史的意识。当然,它们也给后人提供了更为丰富的信息,为考证古史提供了重要文献。

鼎本来是周天子的权力象征。可是,到了战国时期,礼崩乐坏,甚至发生了楚庄王问鼎中原这样严重的政治事件,说明青铜器的尊贵地位受到了巨大的挑战。与此同时,文字应用日渐繁复,青铜器制作程序复杂,过程漫长,已经跟不上日益增长的记功追远的书写需求,于是人们把目光转向制作较为容易的石刻,青铜器逐渐退出了历史舞台。到了战国中晚期,青铜器上的铭刻文字,逐渐退化到"物勒工名,以考其诚"的作用上去了。在器皿上镂刻工匠的名字,虽然不乏纪念和记忆的意义,但主要是实用功能,旨在考核制作的工艺和质量。

石刻滥觞于先秦,兴起于秦始皇之时,至东汉时代丰碑涌起,历经魏晋南北朝、唐宋时期的演变与创新,成为一种重要的文献形式,无论在种类还是在数量上,都让人叹为观止。明清时代,石刻数量更是蔚为大观。石刻种类繁多,有人将其细分为四十几类。其中,最受人关注的是碑碣、摩崖、墓志和石经。

现存最早的石刻,是7世纪发现的10个石鼓。根据现代学者的研究,这是公元前8至前4世纪秦国的石刻。因为外观上细下粗顶微圆,很像一面鼓,所以被称为"石鼓",又因为石鼓上所刻写的文字内容和渔猎相关,所以也被称为"猎碣"。这10个石鼓大小不一,高度从45厘米到90厘米不等。四周刻有文字。每个石鼓有韵文70余字,直行9至15行,每行有5至8字。10个石鼓共有约700字。但是,石鼓历经千年,命途多舛,屡遭破坏,保存至今的文字仅有300多字,不少还残缺不全。比石鼓略晚一些的,是3件"诅楚文"石刻,包括"巫咸文""厥湫文""亚驼文",也是秦国的作品。那个时代秦楚两国争霸,秦王祈求天神"巫咸""大沈厥湫""亚驼"等保佑秦国胜利,诅咒楚国战败,故称"诅楚文"。

秦国统一中国后,秦始皇曾五次出巡,七次刻石以铭记自己的功德,按时间顺序,分别为峄山刻石、泰山刻石、琅琊台刻石、之罘刻石、之罘东观刻石、碣石刻石、会稽刻石。笼统地讲,石鼓文、诅楚文、东巡刻石都属于"秦刻石",形制上则属于石碣一类。不同时代的秦王为了自身目的而刻石记事,或祈神求功,或昭告天下,呈现了突出的历史记忆与文化传承的功能。可见石刻当时主要是为君王服务的。

相对于秦石刻而言,西汉刻石寥寥无几。直到东汉顺帝以后,石刻才开始流行开来,并逐渐进入普通民众的日常生活。汉代石刻中的碑，不仅是颂祖述先的重要载体，也是记录汉代历史文化的重要文献。按照东汉许慎《说文解字》中的解释，"碑"的意思为"竖石"，就是竖立的石板。在早期，凡是竖立的石板，都可以称为"碑"。东汉人在石板上镌刻文辞，写下对地方长官名贤的颂扬，立于街衢，这是功德碑。有些碑刻表达的是对亡故亲友的悼念，竖立在其神道或者墓前，称为神道碑或墓碑。总之，碑刻记述碑主的生平事迹，或者表达人们对于长官贤人的怀念，或者记述生者对于死者的追思，也能让过往行客和后世读者通过阅读碑文，对碑主生平或其功业有大致了解。汉碑是汉代原野上一道亮丽的文化景观，不仅当代人可以阅读欣赏，后代人也可以透过风雨侵蚀的碑刻，甚至透过荒废倾圮的废墟，领略这一文化景观。

与书籍文化联系最为紧密的碑刻，就是石经。广义的石经，既包括在石头上镌刻的儒家经典，也包括刻石的佛教经典和道教经典，狭义的石经则只指前者。自汉武帝"罢黜百家，独尊儒术"之后，儒家经典便成为士人的必读书。这些经典由各家经师口耳相传，世代传抄，在这个过程中产生一些脱误衍倒在所难免。《后汉书·蔡邕传》就说："经籍去圣久远，文字多谬，俗儒穿凿，疑误后学。"如何统一经文，不再让讹本贻误后学，成为迫切需要解决的问题。人们很自然地想到了石刻。相比于青铜器，石刻更容易制作；相比于简帛，石刻更易于保存，也更适合展示。因此在印刷术还没有诞生的东汉时代，以刻石经作为传播儒家经典的方式，是意义重大的一次文化创新。东汉灵帝熹平四年（175），经由著名学者蔡邕倡议并主持，著名的"熹平石经"开始书刻，历经八年才完工并立于东汉首都洛阳的太学之前。作为儒家经典的定本，石经一公布，就受到知识分子的广泛关注与热烈欢迎。据《后汉书·蔡邕传》记载，石经碑刚立好，到太学前观看以

插图二：东汉熹平石经

说明：石经内容为《春秋公羊传》。

图片来源：马衡《汉石经集存》

及抄读石经的人,"车乘日千余两,填塞街陌"。熹平石经的刻立,不仅为天下士人提供了统一的经学读本,还开创了后世刻立石经的传统。此后不断出现以官方名义刻立的石经,三国魏正始年间刻有三体石经,唐末开成年间有开成石经,此外还有五代后蜀石经、北宋石经、南宋石经、清石经等。从总体来看,从东汉到北宋,刻石经典的数量越来越多,但自南宋以后,随着印刷术逐渐普及,刻印书籍日益方便,石经的文化影响越来越小了。在儒家石经影响下,佛教石经与道教石经也继之而起,道教石经较少,佛教石经较多,规模也很大,尤其是北京房山区云居寺的佛教刻经,持续数百年,规模宏大,令人赞叹。但其意义主要在于典藏,而作为经典定本的文化地位和传播价值与儒家石经不可同日而语。

金石文字属于契刻文字,基本上都是通过刻写来完成的。金文的镂刻与青铜器的铸造有着密切的联系。由于青铜器质地坚硬,直接刻写十分困难,如果文辞较多,难度就更大。所以,工匠们转而在铸造青铜器的模具上刻写文字。模具通常用陶土或胶泥制作,相对柔软,适合雕琢。青铜器上的文字有阴文与阳文之别,阴文称为"款",阳文称为"识",而模具上的文字恰好与此相反。青铜器上的阴文在模具上呈现的是阳文,反之,青铜器上的阳文在模具上呈现的则是阴文。在青铜铭文中,有一类铜器的文字刻写很特别,这就是铜印。印章体积较小,文字较少,所以文字可以直接雕刻于铜器之上,可刻阳文,也可刻阴文,唯其文字是反文,与青铜模具上的正文不同。小巧精致的印章在后世得到充分的运用,其材质也扩展到玉、石、木等,但基本的制作方式还是一样的。这种在模具、印章上书写文字的方式,与后世出现的雕版印刷技术有着千丝万缕的联系。如果说,雕版印刷术凝聚了中国古代书写技术的精华,那么,它也从青铜铸刻技术中受到了一些启发。

铭文注重记事，强调流传千古，所以为了保证文字不被磨损，常常将文字镂刻于彝器的内壁。如铭文多达 499 字的毛公鼎，是毛公为了感念周王而制作，希望"子子孙孙永宝用"，就刻于鼎的内壁。鼎是宗族传统和家世记忆的载体，"子子孙孙永宝用"，就是希望子孙后辈永远传承这件宝器，追先念祖。青铜器铭文的记载内容非常广泛，功能也各有不同。除了像毛公鼎这类强调记事颂德的礼器外，还有一部分用来记载财产、疆界等的器物，实用功能比较明显。铸有法律条文的刑鼎，意在广而告之，公开传播的功用十分突出。据《左传》记载：昭公六年"三月，郑人铸刑书"。杜预在注文中解释说："铸刑书于鼎，以为国家之常法。"《左传》还记载了昭公二十九年冬，晋国也铸刑鼎，刻上了范宣子所作的刑书。制作刑鼎的目的，当然是为了布告民众，宣示法律。"无论从这两部刑书的制作目的，还是从它们已经产生的实际效果看，都可以算是书，虽然其文献载体和后世通行的书不同。"（程千帆、徐有富《校雠广义·版本编》）

石刻文字由工匠凿刻于石上，这是它与青铜铭文最大的差别。在文字凿刻之前，通常文章已经写好，并由当时的重要人物或者善书者书写。秦始皇统一中国后巡游各地所立石刻，其撰作与书写都出自丞相李斯之手，然后由工匠刻石。到了东汉丰碑涌起的时候，各路碑文好手纷纷登场，其中，蔡邕名气最大，所作碑文数量也最多。刘勰在《文心雕龙·诔碑》中称赞他说："自后汉以来，碑碣云气，才锋所断，莫高蔡邕。"蔡邕是当时著名的学者，也是最受欢迎的碑文作家。他的碑文叙颂结合，虚实相生，引经据典，传颂遐迩，不仅当时人喜闻乐见，后世也奉为典范，跃居文学经典。《文选》中的"碑文"一类，总共只选录了四个人的五篇碑文，蔡邕一人就入选两篇,可见其碑文的水平和价值。在《文心雕龙》的文体论中,碑文也占有一席之地。这与后汉碑刻的流行及其影响有直接关系。

在刻石之前,通常由善书者将文章抄写于碑石之上,以便工匠依样镌刻。蔡邕不仅文章出众,他的书法也很受时人称颂。熹平石经就是在他的提议下刻立的,他还亲自参与了这一文化工程。据《后汉书·蔡邕传》记载,六经文字确定之后,蔡邕亲自用红笔将经典文字抄写于碑上,然后再令刻工依照红字镌刻。石刻虽然在制作上比青铜器容易得多,但是作为文字的载体,同青铜器一样,也不便于携带。至少在拓印技术产生之前,如果我们要阅读、欣赏石刻文字,就必须到石刻所在地才能观摩学习。所以,在熹平石经颁布的时候,才会出现"观视及摹写者,车乘日千余辆,填塞街陌"的盛况。

其他碑刻虽然与石经不同,但是,由于其与名人大事相关,承载着一定的历史文化内涵,或者书撰出自名家之手,在文学艺术的某些方面有突出的成就,因此也会引起人们的阅读兴趣。相传东汉时期浙江上虞有一位孝女叫曹娥,为了寻找投江而死的父亲的尸体,她自投于江,不幸身亡,年仅14岁。上虞当地的长官为了表彰她的孝行,为她立了一块纪念碑,这就是十分著名的"曹娥碑"。据说碑文是由当时年仅13岁的邯郸淳所写,文采斐然,远近闻名。有一次,蔡邕路过上虞,特地前去访碑,到达的时候天色已暗。蔡邕就用手抚摸着碑文,一字一字地读,读完全文后,他在碑阴上题了八个字:"黄娟幼妇,外孙齑臼。"别人看了,都不懂是什么意思。后来,曹操经过上虞,也专程前去读碑,陪同的是他的主簿杨修。曹操指着碑阴上的八个字问杨修:"你理解这些字的意思吗?"杨修回答说理解。曹操说:"你先别说,让我想想。"走了三十里,曹操终于想明白了。原来,"黄娟,色丝也",合起来是"绝"字；"幼妇，少女也"，合起来是"妙"字；"外孙，女子也"，合起来是"好"字；"齑臼，受辛也"，合起来是"辞"（古代也写作"辤"）字。连在一起，就是"绝妙好辞"的意思。蔡邕采用谜语的方式，来表达自己对"曹娥碑"上文章的评价。在这个传说里，我们可以看到，阅读者必须来到碑刻面前才能真正地阅读欣赏，而立碑者与阅读者的动机和目的可能不太一样，不同的阅读者也存在不同的阅读期待。上虞地方长官为了表彰曹娥的孝道而立碑，而阅读者蔡邕却是为了欣赏邯郸淳的文章而来，后来的另外两个阅读者曹操和杨修，却几乎对碑文视而不见，目光集中在蔡邕留下的八字谜语。不同时空的人们，面对这独一无二的碑文，完成了一次跨时空的交流。作为文献载体的碑刻，也由此完成了文化的传承。从这个例子中可以看出，汉代碑文虽然以篇的形式存在，但从文章传播的实际效果来看，它与书并没有什么不同。

拓印技术的产生，当在纸张发明并使用以后，大概起于南北朝时期。到了隋唐时代，拓印技术得到大力发展，等到宋代金石学兴起之时，更是受到金石学者的格外注意。现存最早的拓本，是唐太宗李世民的《温泉铭》，此碑原石早佚，但它的拓本却埋藏于敦煌千佛洞中，一千多年后被人发现，它的重见天日，意义非同一般。拓印对金石文献的保存和传播起到了重要的作用。如唐代发现的石鼓文，现存原石上只有三百多字。然而，宋代较为著名的石鼓文拓本，例如后劲本、先锋本、中权本都保留了 500 字左右，其他宋代拓本也有四百多字。这些早期拓本对于还原石鼓文字起了重要作用。而版本不一、字数不同的拓本，也真实地反映了同一石刻在不同历史时期的流传面貌。事实上，许多石刻文献依赖拓本而流传下来。石刻可以拓印，青铜器也可以拓印。拓印技术使得具有唯一性的彝器石刻化身千百，成为金石学者和文人学士书斋中玩赏的艺术品,案头上的常见读物。因此,被认为是中国最古老的复制术的拓印技术,不仅保存了金石文献,逼真地再现金石刻的面貌,还成功地实现了文献物质媒介的转换,使得金石文献的阅读与传播能够跨越时空的界限,变得十分便捷。

谈到金石文字的意义,著名金石学家罗振玉曾有这样的论述:"金石文字者,古载籍之权舆也。古者大事勒之鼎彝,故彝器文字,三代之载籍也。唐以前无雕版,而周秦两汉有金石刻,故周秦两汉之金石刻,雕版以前之载籍也。载籍愈远,传世愈罕,故古彝器之视碑版为重焉。"在他看来,金石文字记载了古代的重要事件,是古代书籍的初始形式,甚至可以说就是雕版印刷产生之前的中国古代书籍。实际上,金石的意义并不局限于此。金石刻作为一种书写方式与记录媒介,在古代中国一直占据着重要地位。即便在纸张普及、印刷术推广并且占据主导地位之后,金石作为文字载体和文献形式,依然被人们广泛使用。

古代书迹的保存与流传,常常要依赖刻石。一方面,写在简帛纸张之上的字迹,不如石刻耐久。另一方面,古人重视书法,然而一件书法作品常常是孤本流传,能够亲眼目睹的人极为稀少,更不用说持有一本、对帖临写了。因此,常常有人将历代重要的书法作品汇集起来,钩勒刻石,然后拓印复制,装订成帖,以供士人欣赏临摹,这就是法帖。法帖是天下士人练习书法的范本,拓印精美的法帖本身就是可供玩赏的艺术品。历史上著名的法帖有宋代的《淳化阁帖》《绛帖》《潭帖》《大观帖》《宝晋斋法帖》,明代的《真赏斋帖》《停云馆帖》,清代的《三希堂法帖》等。这些法帖基本上都是先钩勒刻石,然后拓成纸本的丛帖,以书籍形式流传。选帖钩勒、镌刻上石、拓印流传,每一个环节都要讲究。如刻于清乾隆年间的《三希堂法帖》，收录晋至明末一百多位书法家的三百余件书法作品，刻石达五百余块，工程浩大，影响广泛。

刻石也是古代文学作品传播的手段之一。精美的书刻不仅增加了石刻的艺术吸引力，也促进了文学作品的广泛流传。很多石刻文字，撰作和书写都出自名家之手，在流传过程中如虎添翼。前代的文学名篇，常常因为广为流传而被后人追刻于石，以垂久远。比如唐代著名书法家欧阳询书写的《楚辞·九歌》，就在北宋时候被刻于石上，之后又有翻刻。又如唐代诗人杜甫在两川夔峡创作的九百余首诗，就曾被北宋书法大家黄庭坚手书，由杨素刻石于四川眉山市丹棱县的大雅堂，刻石达三百多方。再如杜甫寓居成都草堂时，曾作《前游》《后游》《登北桥楼》三首五言律诗，来描绘修觉山的风光。到了清代，这三首诗就被刻石于修觉寺内，称为"杜甫诗碑"，来此瞻仰的人甚多。诸如此类为了扩大景点影响而增刻相关名人名篇的事为数不少，这种风气直到今天仍然很盛行。比如南京著名景点乌衣巷，就把毛泽东手书唐代诗人刘禹锡的名篇《乌衣巷》刻石于巷口，书法飘逸，大气磅礴，诗歌含蓄，感慨深沉，吸引无数游客驻足吟诵观赏。

金石本身不仅是艺术品，它还能与其他艺术形式相融合，使古代中国的书写文化和书籍形式更加丰富多彩。比如在金石刻中最为袖珍的印章，在后世受到了文人的重视，被广泛开发应用。一枚精致小巧的印章，本身就是艺术创作，再钤于书画作品之上，为之增光添彩，亦成为书画赏析中不可或缺的一部分。印章还广泛应用于明清时代的书籍、石刻以及拓本之中，发挥签署、收藏和装饰等各种功能。爱好金石的文人学者，甚至将名篇全文集中刻为一方印章，例如翁方纲有一方印，刻的是韩愈《杂说》全文；或者将名篇逐段逐句分刻于若干方印章之上，例如清人将《二十四诗品》刻为印章。这时候,印章就成了书籍的特殊形式,具有别致的物质形式和特殊的艺术韵味。还有人热衷于将金石文字缩刻或缩印于其他载体之上,例如晚清很多文人喜欢择取石刻文字,以双钩作为笺纸的背景,或者作为书籍的装饰。纸张与石刻这两种文献媒介,刻字与印刷这两种工艺技术,在这里相互融通,相映生辉。

总而言之,无论是在纸张普及之前,还是在纸张普及乃至印刷术产生之后,作为书写载体的金石,作为书写技术的刻字工艺,一直承载着文献传承的使命。金石尤其是石刻的内涵随着时代的演进而不断创新,其功能也日益丰富。特别是在宋代以后,金石的收藏整理与书籍刊刻越来越紧密地结合在一起,从金石之学中又分出了学术研究与艺术欣赏两大分支,在中国文化史上焕发出更加夺目的光辉。

## 简帛与书籍制度

王国维在《简牍检署考》开篇即说:"书契之用自刻画始,金石也,甲骨也,竹木也,三者不知孰为先后,而以竹木之用为最广。"金石、甲骨和竹木是最早用于书写的三种材料,其中,使用最广的是竹木,也就是简牍。简牍常常与性质类似的绢帛合称为简帛。简帛在先秦两汉被广泛使用,是纸张普及之前最为重要的书写载体。甲骨和金石的书写,主要通过契刻的方式,简帛的书写则依赖笔墨,这种书写方式被后来兴起的纸本书写所继承。在简帛时代形成的一些书籍用语,如卷、册、篇、编、版等,纸本时代仍然在沿用。简帛的书写制度深刻影响了纸本时代的书籍文化,可以说,中国古代的书籍制度在简帛时代就已经成形。因此,简帛被认为是中国书籍的始祖。

简指的是简牍,包括竹简、木简、竹牍、木牍。简是一根竹片或木片,形状窄长;牍则是一块木版或竹版,稍微宽展一些。书写的时候用简还是用牍,常常取决于书写的内容。帛指的是帛书,帛书就是写在丝织品上的书。用于书写的丝织品主要有绢、缯、缣等,所以帛书常被称为绢书、缯书、缣书等。

简帛作为书写载体,起源甚早,传世先秦典籍中就有记载。《晏子春秋》记载:"著之于帛,申之以策,通之诸侯。"《墨子·明鬼篇》说:"书之竹帛,遗传后世子孙。"《韩非子·安危篇》中说:"先王寄理于竹帛,其道顺,故后世服。"秦时编成的《吕氏春秋》中也有同样的说法:"著乎竹帛,传乎后世。"他们都把竹帛当作文字书写与文化传承的重要载体。

最早被发现的、见于历史记载的简帛书籍,是"孔壁古书"。汉武帝的时候,在山东曲阜孔子宅第的墙壁夹层中发现了一批古代简牍书籍。这批书籍都是用古文书写的,所谓古文,就是先秦文字,与汉代的通用字体——隶书的写法不同。这篇简牍包括《尚书》《礼记》《论语》《孝经》《孔子家语》等几十种书籍,经过孔子后人孔安国的整理与研究,对当时以及后世的学术与思想产生了深远的影响。

到了晋武帝的时候,在汲郡(今河南卫辉市)又出土了一批简牍书籍,有几十车之多。据说这是由一个名叫"不准"的人在盗墓的时候发现的,由于盗墓者点火照明,造成竹简大多被烧残,次序也混淆难辨。这批简牍被送到首都洛阳以后,晋武帝命令当时的著名学者及官员共同整理,整理出来的书籍被后人称为"汲冢竹书"。可惜的是,这批整理出来的古籍未得到妥善保存,流传至今的仅有《竹书纪年》《穆天子传》等寥寥几种,却为研究西周时期的历史与文化提供了重要的文献资料。

史书中所记载的出土简帛,都没有实物流传下来。今天我们对于简帛的了解,除了相关传世文献的记载,主要得益于近现代以来丰富的出土实物。特别是 20 世纪以来,已有一百余批的古代简牍和帛书相继出土,这些简帛的书写时间从春秋战国到唐代,时间跨度长达千年之久,内容包括古书、文书、信札、簿册等,为深入研究古代书籍文化提供了丰富的资源。19 世纪末至 20 世纪初,瑞典人斯文赫定、贝格曼,英籍匈牙利人斯坦因,日本人橘瑞超等人,分别来到中国西北部考察古代遗址,掘获了不少简牍。其后,中国和瑞典合组的西北科学考察团,又在居延地区获得了大量汉简。20 世纪40 年代,国立中央研究院组织的西北史地考察团两次赴河西地区,也有收获。70 年代,大量的简帛先后出土,重要的有临沂银雀山汉墓竹简、长沙马王堆汉墓简帛、居延汉简、云梦睡虎地秦墓竹简、阜阳双古堆汉简等。八九十年代,则有天水放马滩秦简、包山楚简、云梦龙岗秦简、郭店楚简、长沙走马楼三国吴简等。这些简帛都有确定的出土时间与地点,来历清楚。此外,还有从市场上购得的简帛,大多数不能确知原先出土于何时何地。例如上海博物馆所藏楚简就是 1994 年从香港文物市场购得,2008 年入藏清华大学的战国简是清华校友从境外拍卖市场购得之后捐赠给母校的。

简帛研究伴随着简帛的出土而开展,并逐渐成为专门之学。1914 年,罗振玉与王国维合著的《流沙坠简》是中国学者最早研究简帛的著作。此书以斯坦因在中国获取的敦煌汉简、罗布泊汉晋简牍及少量纸片、帛书等为基础,进行分类、释文与考证。这为后来的简帛研究提供了方法与参照,是近代简帛学的奠基之作。

简帛的书写离不开笔和墨。笔就是毛笔,起源很早,历史上有“蒙恬造笔”的传说。相传秦国大将蒙恬率军伐楚,经过中山地区,发现那里的兔毛很好,适合用来书写,于是就创造了毛笔。这是后人误读古书以讹传讹的结果。说起毛笔的起源,其实可以追溯到更早。从考古发现来看,商周时代就已经有毛笔的书写痕迹出现。仰韶彩陶上的纹饰、符号就是用毛笔书写、绘画的,甲骨中也有极少部分的文字是毛笔书写的。蒙恬仅仅是改良了毛笔而已。

墨的使用应该与笔同时。《庄子·田子方》记载:“宋元君将画图,众史皆至,受揖而立,舐笔和墨。”可见当时人画图已经用上了笔和墨。在民间传说中,墨是周宣王时的刑夷所创。有一次,刑夷在溪边洗手,见水中漂浮着一块松碳,就好奇地捡起来,没想到手却被染黑了,怎么洗也洗不掉。他灵

插图三:战国楚竹简:《老子》(甲、乙、丙)

说明:湖北荆门郭店1号战国楚墓出土。现藏湖北省荆门市博物馆。

图片来源:《第一批国家珍贵古籍名录图录》

机一动,想到这块松碳用来书写倒是不错,于是把松碳拿回家反复做试验,终于制成可以书写的墨。不过,与蒙恬造笔一样,这也只是传说而已,但它寄托了人们对于笔墨的美好想象,体现了古人对于书写的重视与敬畏。

竹木在用于笔墨书写之前,必须进行处理,才能成为适宜书写的简牍。东汉王充在《论衡·量知篇》中,曾简单记载从竹木到简牍的制作过程,大意是:竹子和树木生长于山林之中,先要把竹子砍下来,截成一定长度的圆筒,然后剖成一定宽度的竹简。大的用来抄写经书,小的用来写抄传记。木头也要截断为一定的长度,然后剖成木板,刮削平整,就成为可以书写的木牍,写奏章的时候一般用木牍。竹子在刮削之前,还必须作"杀青"处理。所谓"杀青",就是因为"新竹有汗,善朽蠹,凡作简者皆于火上炙干之",西汉学者刘向在整理汉朝国家图书馆藏书时,就曾专门谈到这个过程。未经刮削的竹子,如果直接书写,不易吸墨。刮削过的新竹,仍然内含水分,易招虫蛀,容易腐朽,也不利于长久保存。因此,凡是竹简,必须要放在火上烘烤,竹汁被逼出来,就像竹简出汗一样,所以竹简也被形象地称为"汗简"。"杀青""汗青",这些与竹简相关的词语,在纸本时代仍然被人沿用,作为文章或书稿写定的雅称。由于竹简多用以记录史事,"汗青"遂被借用来指代史册,南宋民族英雄文天祥名篇《过零丁洋》中的名句"人生自古谁无死,留取丹心照汗青",就是用了这个典故。

竹简狭长,一根竹简通常只能写一行文字,少数也有书写两三行或四五行的情况,字数从几个字到几十字不等。一篇文章常常会用到很多根简,将这些简按次序编连到一起,就成为了"册"(也可以写作"策")。一般而言,一篇文章就是一册。若将一册竹简卷起来,就成了一卷图书。篇、册、卷,都是始于简牍时代的书籍计量单位。编简成册的绳子叫做编,可以用麻绳、皮绳,也可以用丝绳,结实的绳子才不至于使得竹简松散。《史记·孔子世家》记载孔子"读《易》韦编三绝"。这并不是说编连竹简的皮绳不结实,而是说孔子读书过于刻苦勤奋,竟然多次把简书的牛皮带子都翻断了。

木牍是一块木板,可称为"版",如果是一尺见方的木牍,则可称为"方"。木牍的书写面积较为宽敞,可以写字,也可以画图,比较实用。木牍如果用来登记户口或者著录名目,可称为"簿"或"籍";用来画图,特别是地图的话,称为"版图";用来写信,称为"尺牍"。每一块木牍一般都是独立书写的,很少会出现像编连竹简那样,把几块木牍依次接续起来的情况。

帛书的材质是丝织品,质地轻软,可以书写,便于携带,比简牍要方便得多。帛书不像简牍一样有一定的长度规定,而是根据需要,按照书写内容的多少,可长可短。这就是《初学记》中所说的:"依书长短,随事截之。"斯坦因曾在敦煌发现两件公元前 1 世纪的缣帛信件,是同一个人书写的,可能是驻守山西北部成乐地方的官员致敦煌边关某人的书信。其中一件缣帛约 9 厘米见方,另一件长 15 厘米,宽 6.5 厘米,尺寸并不整齐划一。帛书的书写较为讲究。《后汉书·襄楷传》记载当时写于帛上的《太平清领书》,共 170 卷,"皆缥白素,朱介、青首、朱目"。缥白素,指青白色的丝织品,也就是帛书的材质。朱介,同"朱界",即朱丝栏,相当于今天的红色直行栏格。青首,指帛书每一篇开始处的墨钉。朱目,指标示篇目的红色符号。这样的记载和出土的帛书正好相互印证。如出土的帛书《老子》《周易》等书籍,丝帛上画有朱栏纹行格或墨栏纹行格,每篇都从右往左直行书写,每篇以墨钉为起始,每行 70 字左右,末尾多标明题目和字数。如此考究的做法,体现了古人对于书写的重视,也反映出这个时期的书写已经有了相对固定而且严格的格式。不过,由于丝织品较为昂贵,不如就地取材的竹木低廉,因此,帛书的使用范围一直很有限,简牍是这个时期最主要的书籍材料。

图像与文字是古人记事的手段。相传"河出图,洛出书",简称"河图洛书",说的是上古时代,河南孟津县境内的黄河中浮出龙马,背负"河图",洛阳洛宁县洛河中浮出神龟,背驮"洛书"。"河图洛书"上的两幅神秘图案,被认为是图文的起源。古书中很早就有图像。陶渊明《读山海经》诗中提到"泛览周王传,流观山海图"。"山海图"指的是《山海经》一书,原来配有插图,可惜后来丢失了。古代不少典籍都有插图,大都是后人为了阅读、阐释的方便而增补的,如《诗经》有《诗经图》,《三礼》有《三礼图》,《孝经》有《孝经图》,《尔雅》有《尔雅图》,等等。对于天文、地理、名物、建筑、礼制等的描述,文字始终不及图像表现更为直观,这一类书籍中多配有图像,是理所当然的。

南宋著名学者郑樵在《通志·图谱略》中,对图与书的关系有过精彩的论述。他说:"图,经也。书,纬也。一经一纬,相错而成文。"他所说的"书",指的是文字,图像与文字相互配合,纵横交错,构成一部完美的作品,缺一不可。所以他接着说:"见书不见图,闻其声不见其形;见图不见书,见其人不闻其语。"阅读只有文字而没有图像的书籍,就好像听见了一个人的声音而看不到他的相貌,相反,阅读只有图像而没有文字的书籍,就如同看见了一个人的相貌而听不到他的声音。这两种情况都不是阅读的理想状态,因为图文有别,"图至约也,书至博也,即图而求易,即书而求难"。图像简单直观,文字博杂难辨,从图像上去了解事物比较容易,仅从文字上去了解则较为困难。所以,将图文结合起来,才是阅读学习的最佳方式。古代的学者都是左图右书,从图中看形象,

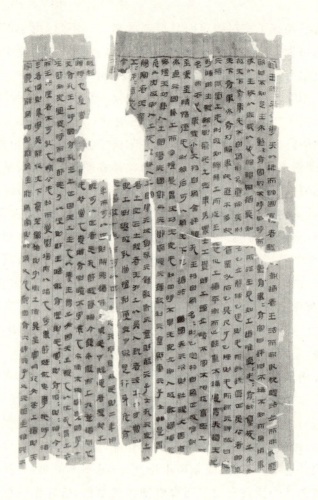

插图四：西汉帛书：老子乙本及卷前4篇佚书（经法、十六经、称、道原）

说明：湖南长沙马王堆3号汉墓出土。现藏湖南省博物馆。

图片来源：《第一批国家珍贵古籍名录图录》

从文中看道理,两者相互配合,才能把握住图书的精髓。

　　大部分出土简帛有文无图,这基本上也是中国古代书籍的一般特征。简帛中的古书、文书基本上都是抄写文字为主。如郭店楚简《淄衣》《五行》,睡虎地秦简《语书》《秦律十八种》,马王堆帛书《老子》《隶书阴阳五行》等,都写满了文字。另一些简帛则有文有图,特别是占卜一类的书籍,常常图文配合,指导古人实践。如尹湾汉墓中出土的《神龟占》《六甲占雨》《博局占》,这三种术数资料写在同一木牍之上,都有文有图。《神龟占》在木牍正面第一、二排,第一排以文字记录神龟之法,占卜财物丢失以后,是否能够找回。第二排则画了一只神龟。木牍正面第三排是由六十甲子排成的菱形,菱形下书“占雨”二字,这就是《六甲占雨》。木牍的背面是《博局占》,上方画有规矩纹图案的六博图,下方写占问之事。又如马王堆帛书《天文气象杂占》,每条占书的上面有墨绘或朱绘的图,下面是名称、解释和占文。图文对照,便于占卜者理解。再如长沙子弹库出土的战国楚帛书,帛书中间写有两段神秘的长文,四周绘以怪异的彩图,彩图之间又有短文,图文结合成为一个整体。

　　也有一些有图无文的情况。如长沙子弹库出土有一张帛画,画中有一位危冠长袍、手拥长剑、乘风驭龙的男子。马王堆汉墓也出土了一幅 T 形帛画,画中有日月星辰、神怪人兽,布局紧凑,层次分明。有学者认为这类帛画中的人物是墓主。

　　除了图文,简帛中还有表。算法表是其中最为有趣的一种。简单的九九乘法表在不少地方的出土简帛中都有发现。比如里耶秦简中就有一块长 22 厘米、宽 4.5 厘米的木牍,上面书写着一个乘法口诀表:“九九八十一,八九七十二,七九六十三……二二而四,一二而二,二半而一,凡千一百一十三

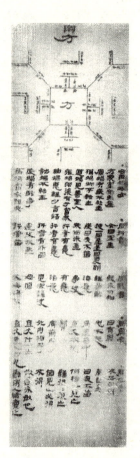

插图五：西汉木牍，《神龟占·六甲占雨·博局占》

说明：江苏连云港尹湾村汉墓出土。长 23 厘米，宽 7 厘米。木牍正面上端写有 8 段文字，中间为神龟图，下方为"六甲占雨"。反面为"博局占"。现藏江苏省连云港市博物馆。

图片来源：《第一批国家珍贵古籍名录图录》

字。"与我们今日所学的乘法表不同的是,这个乘法表里多了"二半而一"这一句,严格说来,这已经属于小数的计算了。汉代对于边塞官员的考核标准是:能书、会计、知律令。其中的"会计"指的就是会算术,会背"九九乘法表",这就表示有基本的计算能力了。最近公布的清华简里还整理出了复杂的《算表》,根据这个算表,不仅能够快速算出 100 以内两个任意整数的乘除,还能计算包含分数 1/2 及两位数的乘法,功能比九九乘法表强多了。《算表》的发现,不仅填补了先秦数学文献的空白,而且反映了中国古代对于数学教育的重视。

简帛是最早的古书,钱存训在《书于竹帛》曾经指出:"刻在甲骨、金属、玉石等坚硬物质上面的文字,通常称为铭文;而文字记载于竹、木、帛、纸等易损的材料,便通常称为书籍。"因为处于书史源头,所以特别值得重视;因为易于损坏,所以难以传之久远。20 世纪以来的考古发现与文物出土,不断地丰富着古代历史研究的文献,充实了我们对于书籍文化史的认识。早在 20 世纪 20 年代,王国维就曾说过,自汉代以来,中国学术史有过三次文献大发现,第一次是汉代孔子壁中书,第二次是西晋时出土的汲冢竹书,第三次则是 19 世纪末 20 世纪初包括殷墟甲骨文字、敦煌塞上及西域各处之汉晋木简、敦煌千佛洞之六朝及唐人写本书卷以及内阁大库元明以来书籍档册的发现。这三次大发现中,都可以看到简帛的身影,都大大增进了后人对于古代书籍史的认识,对当时的学术文化研究产生了极大的影响。孔子壁中书的发现,挑起了今文经与古文经的纷争,影响了其后两千余年的学术研究。汲冢竹书的发现,特别是《竹书纪年》的整理与研究,对西晋以来中国史学的发展也产生了重要影响。

《竹书纪年》是战国时期魏国的一部编年体史书,记述了夏、商、西周和春秋战国的史事,其价值不亚于现存的鲁国史书《春秋》,尤其是它所保存的古史年代学资料极为重要。在《竹书纪年》发现之初,学者就注意到了它的价值,他们不但援引《竹书纪年》与《春秋》相互印证发微,以纠正传世史籍记载中的编年讹误,而且借此重新认识与反思《春秋》《史记》以来的史学传统。《竹书纪年》的发现,还促进了经史的分离与史学的独立。长期以来,作为鲁国史书的《春秋》一直被视为经典,置于五经之列。虽然自汉代以来,就已出现把《春秋》当作史书的倾向,但一直没有明确提出以史的精神来解读《春秋》。直至《竹书纪年》发现以后,学者们突然发现,"汲冢获书,全同《左氏》",于是一场关于《春秋》和《左传》性质的大讨论由此展开。《春秋》是经书还是史书?《左传》是经传还是一家之书?这种讨论要是放在清代章学诚提出"六经皆史"的观点之后的话,一点也不新奇,但是放到魏晋南北朝时期,无疑触动了经学家们的神经。给《春秋》经传作集解的杜预就从《竹书纪年》中发现了《春秋》"经承旧史"的意义,并由此来说明《春秋》与鲁国史策的关系。这时,他无疑是将《春秋》当作一部史书来看待的。经史的分离与史学的独立,当然与汉晋史学著作的大量产生、史学自觉意识的发展有着更为密切的关系,但《竹书纪年》恰巧在这时出土,更加促使人们重新反思经史关系,成为史学独立的催化剂。

20世纪以来的考古发现与简帛出土,不断地充实着古代历史研究的文献,改变了我们对于古代文化的认识,也给学术界和文化界带来新的气息。

自新文化运动兴起之后,疑古之风盛行,人们试图更加深入地去了解流传至今的古代文献的真实状况:它们是真正的古代书籍,还是经过后人增删、篡改甚至伪造的虚假文献?20年代至40年代,怀疑古书之风逐渐发展成为当时的主流思潮,一大批古代书籍被判为伪书,对古典学术产生了重大影响。然而随着简帛文献的大量出土,这些被断定为伪书的古书,如《六韬》《尉缭子》《晏子春秋》《鹖冠子》《文子》等,却出现于战国、秦汉时期的简册之中。这个时候,人们开始反思疑古之风的负面作用,重新认识古代书籍。八九十年代,还有学者提出了"走出疑古时代""重写学术史"等响亮口号,迫使人们跳出传统的"真"与"伪"二元对立观念的束缚,重新认识古书的形成过程。从这个角度来看,作为书史源头的简帛文献,为探究中国古书的形成与流传提供了新的思路,推动了人们对于古代书籍文化的研究与反思。

## 原典选读

### 《诗经·大雅·绵》(节选)

周原膴膴，堇荼如饴。爰始爰谋，爰契我龟。曰"止"曰"时"，"筑室于兹"。

### [东汉]王充《论衡·量知篇》(节选)

或曰："文吏笔札之能，而治定簿书，考理烦事，虽无道学，筋力材能尽于朝庭，此亦报上之效验也。"曰："此有似于贫人负官重责，贫无以偿，则身为官作，责乃毕竟。夫官之作，非屋庑则墙壁也。屋庑则用斧斤，墙壁则用筑锸。荷斤斧，把筑锸，与彼握刀持笔何以殊？苟谓治文书者报上之效验，此则治屋庑墙壁之人，亦报上也。俱为官作，刀笔、斧斤、筑锸钧也。"

人未学问曰蒙。蒙者，竹木之类也。夫竹生于山，木长于林，未知所入。截竹为筒，破以为牒，加笔墨之迹，乃成文字，大者为经，小者为传记。断木为椠，析之为板，力加刮削，乃成奏牍。夫竹木，粗苴之物也。雕琢刻削，乃成为器用。况人含天地之性，最为贵者乎！

### [南北朝]范晔《后汉书·蔡邕传》(节选)

邕以经籍去圣久远，文字多谬，俗儒穿凿，疑误后学，熹平四年，乃与五官中郎将堂谿典、光禄大夫杨赐，谏议大夫马日磾、议郎张驯、韩说、太史令单飏等，奏求正定《六经》文字。

灵帝许之，邕乃自书丹于碑，使工镌刻立于太学门外。于是后儒晚学，咸取正焉。及碑始立，其观视及摹写者，车乘日千余两，填塞街陌。

## [清]王昶《金石萃编序》

宋欧、赵以来，为金石之学者众矣。非独字画之工，使人临摹把玩而不厌也。迹其囊括包举，靡所不备。凡经史、小学，暨于山经地志、丛书别集，皆当参稽会萃，核其异同，而审其详略，自非轮材末学能与于此。且其文亦多瑰伟怪丽，人世所罕见，前代选家所未备，是以博学君子咸贵重之。欧、赵所采，止于五代，后之著录者取以为法焉。然欧公上至五代，仅及百年。《金石录》以刘跂作序之岁数之，亦百有五十年耳。而宋末辽金迄今，至历五百余年之久，其未可引欧、赵之例，斤斤以五代为断明矣。且《宋》、《辽》、《金》三史，皆成于托克托之手，卒以时日迫促，载者有所弗详，重者有所未削，方藉碑碣文字正其是非，而可置而不录欤？古金石之书，具目录，疏年月，加考证焉尔。录全文者，惟洪氏《隶释》、《隶续》为然，而明都氏穆、近时吴氏玉搢等继之。然洪氏隶书之外，篆与行楷屏而不载。都氏止六十八通，吴氏止一百二十余通。爱博者颇以为憾焉。余弱冠即有志于古学，及壮，游京师，始嗜金石，朋好所赢，无不丐也；蛮陬海澨，度可致，无不索也。两仕江西，一仕秦，三年在滇，五年在蜀，六出兴桓而北，以至往来青、徐、兖、豫、吴、楚、燕、赵之境，无不访求也。盖得之之难如此。然方其从军于西南徼也，留书籯于京师，往往为人取去。又游宦辄数千百里，携以行，间有失者，失则复蒐罗以补之。其聚之之难又如此。而后自三代至宋末辽金，始有一千五百余通之存。夫旧物难聚而易散也，后人能守者少，而不守者多也。使瑰伟怪丽之文销沉不见于世，不足以备通儒之采择，而经史之异同详略，无以参稽其得失，岂细故哉！于是因吏牍之暇，尽取而甄录之，缺其漫漶陊剥不可辨识者，其文间见于他书，则为旁注以记其全。秦汉三国六朝篆隶之书，多有古文别体，摹其点画，加以训释。自唐以后，隶体无足异者，仍以楷书写定。凡额之题字，阴之题名，两侧之题识，胥详载而不敢以遗。碑制之长短宽博，则取汉建初虑俿尺度其分寸，并志其行字之数，使读者一展卷而宛见古物焉。至题跋见于金石诸书及文集所载，删其繁复，悉著于编。前贤所未及，始援据故籍，益以鄙见，各为按语，总成书一百六十卷，名《金石萃编》。呜呼！余之为此，前后垂五十年矣。海内博学多闻之彦，相与摩挲，参订者不下二十余人，咸以为欲论金石，取足于此，不烦他索也。然天下之宝，日出不穷，其藏于嗜古博物之家，余固无由尽睹，而丛祠破冢，继自今为田父野老所获者又何限，是在同志之士，为我续之已矣。嘉庆十年仲秋，青浦王昶书，时年八十有二。

## [清]叶昌炽《语石》卷六"论碑版"二则

以碑版考史传，往往抵牾，年月、官职、舆地，尤多异同。朱竹垞、钱竹汀，皆为专门之学，然不徒证史也。即以文字论，一朝总集，莫不取材于此。归安陆存斋观察辑《全唐文补遗》，余见其目，亦取诸石刻为多。近时畿辅辽金碑先后出土，余欲辑金文以补张金吾之阙，又欲辑辽文。艺风以为先得我心，请割爱。余曰：文章，天下之公器也，遂辍业。唐《韩集》之《五箴》、《伯夷颂》，《柳集》之《永州八记》、《罗池庙碑》，宋之永叔、子瞻、刘贡父、蔡君谟，元之姚燧、黄溍、柳贯、干文传、朱德润诸家，皆有碑版传世。以校集本，亦莫不有异同。

山川桥梁,孔子之官,二氏之居,其兴造古刻,或为图经所不载。宋郑虎臣《吴都文萃》以地为断,其所采不皆吴人之作,余欲取乡先贤之无集传世者,或有集而散佚者,都其文为一编。若陆长源之《景昭法师碑》、《会善寺戒坛记》,顾少连之《少林寺厨库记》,孙翌、顾方肃所撰墓志,皆先哲遗文之仅存者也。钱竹汀举云居寺两诗,为《全唐诗》所未收,不知东南摩崖,唐人诗刻,可采者尚不少。宋元名家,如石湖、剑南、遗山诸诗,零玑碎璧,亦可补全集之遗。金石文字,有裨考古如此,岂得为玩物丧志哉。然吾人搜访著录,究以书为主,文为宾,文以考异订讹,抱残守阙为主,不必苛绳其字句。若明之弇山尚书辈,每得一碑,惟评骘其文之美恶,则嫌于买椟还珠矣。

撰、书、题额结衔,可以考官爵,碑阴姓氏,亦往往书官于上。斗筲之禄,史或不言,则更可以之补阙。郡邑省并、陵谷迁改,参互考求,了于目验。关中碑志,凡书生卒,必云终于某县某坊某里之私第,或云葬于某县某村某里之原,以证《雍录》、《长安志》,无不吻合。推之他处,其有资于邑乘者多矣。至于订史,唐碑之族望及子孙名位,可补宗室、宰相世系表。建碑之年月,可补朔闰表。生卒之年月,可补疑年录。北朝造象、寺记,可补《魏书·释老志》。《天玺纪功》、《天发神谶》之类,可补《符瑞志》。"投龙"、"斋醮"、五岳登封,可补《郊祀志》。汉之孔庙诸碑,魏之《受禅》、《尊号》,宋之道君《五礼》,可补《礼志》。唐之《令长新诫》,宋之《慎刑箴》、《戒石铭》,可补《刑法志》。古人诗集,凡有登览纪游之作,注家皆可以题名考之。郡邑流寓,亦可据为实录。举一反三,饷遗靡尽。

## 罗振玉《殷商贞卜文字考序》

　　光绪己亥,予闻河南之汤阴发见古龟甲兽骨,其上皆有刻辞,为福山王文敏公所得,恨不得遽见也。翌年,拳匪起京师,文敏殉国难,所藏悉归丹徒刘氏。又翌年,始传至江南。予一见诧为奇宝,怂恿刘君亟拓墨。为选千纸付影印,并为制序。顾行箧无藏书,第就《周礼》、《史记》所载,略加考证而已。亡友孙仲容徵君诒让亦考究其文字,以手稿见寄,惜亦未能洞析奥隐。嗣南朔奔走,五六年来,都不复寓目。去岁东友林学士泰辅始为详考,揭之《史学杂志》,且远道邮示,援据赅博,足补正予向序之疏略。顾尚有怀疑不能决者,予乃以退食余晷,尽发所藏拓墨,又从估人之来自中州者,博观龟甲兽骨数千枚,选其尤殊者七百,并询知发见之地,乃在安阳县西五里之小屯,而非汤阴,其地为武乙之墟。又于刻辞中得殷帝王名谥十余,乃恍然悟此卜辞者,实为殷室王朝之遗物。其文字虽简略,然可正史家之违失,考小学之源流,求古代之卜法。爰本是三者,以三阅月之力,为考一卷。凡林君之所未达,至是乃一一剖析明白,乃亟写寄林君,且以诒当世考古之士。惜仲容墓已宿草,不及相与讨论为憾事也。宣统二年,岁在庚戌,仲夏,上虞罗振玉记。

## 罗振玉《流沙坠简序》

　　光绪戊申,予闻斯坦因博士访古于我西陲,得汉晋简册,载归英伦。神物去国,恻焉疚怀。越二年,乡人有自欧洲归者,为言往在法都,亲见沙畹博士,方为考释,云且版行,则又为之色喜。企望成书,有如望岁。及神州乱作,避地东土,患难余生,著书遣日。既刊定石室佚书,而两京遗文,犹未寓目。爰遗书沙君,求为写影。嗣得报书,谓已付手民,成有日矣。于是望之又逾年,沙君乃函寄其手校之本以至。爰竭数夕之力,读之再周,作而叹曰:古简册出于世,载于前籍者,凡三事焉,一曰晋之汲郡,二曰齐之襄阳,三曰宋之陕右。顾厘冡遗书,亡于今文之写定;楚丘竹简,毁于当时之炬火;天水所得,沦于金源。讨羌遗刻,仅存片羽。异世间出,渐灭随之。今则斯氏发幽潜于前,沙氏阐绝业于后,千年遗迹,顿还旧观。艺苑争传,率土咸诵。两君之功,可谓伟矣。顾以欧文撰述,东方人士不能尽窥,则犹有憾焉。因与同好王君静安分端考订,析为三类,写以邦文,校理之功,匝月而竟。乃知遗文所记,裨益至宏,如玉门之方位,烽燧之次第,西域二道之分歧,魏晋长史之治所。部尉曲候,数有前后之殊,海头楼兰,地有东西之异。并可补职方之记载,订史氏之阙遗。若夫不觚证宣尼之叹,马夫订墨子之文。字体别构,拾洪丞相之遗;书迹递迁,证许浚长之说。此又名物艺事,考镜所资。如斯之类,偻指莫罄。惟是此书之成,实赖诸贤之力。沙氏辟其蚕丛,王君通其衢术。僧雯达识,知《周官》之阙文,长睿精思,辨永初之年月。予以谫劣,滥与编摩。蠡测管窥,裨补盖鲜。尚冀博雅君子,为之绍述,补阙纠违,俾无遗憾。此固区区之望,亦两博士与王君先后作述之初心也。爰弁简端,用诏来者。宣统甲寅正月。

# 写本时代

在纸张被普遍应用于书写之前,书写载体的笨重不便成为长期困扰人们的一个问题。从甲骨到金石,从金石到简帛,人们一直在试图寻找既便于书写、又容易获取和携带的书写载体。这个苦苦寻觅了一千多年的梦想,终于在东汉时期,由蔡伦改良纸张而得以实现。从此,纸张成为日常书写最主要的载体,它与书籍的关系越来越密切。中国古代书籍的历史,也从此进入了写本时代。在这个时代,人们借助纸上的书写,记录并且保存自己的思想智慧与文学创作,同时借助传抄,保存了前人以及他人大量的书籍文献。在写本时代,传抄或者抄写,不仅是文化传承的重要手段,也是书籍传播最主要的方式。从这个意义上来说,写本时代也可以称为手抄本时代。

# 纸的发明与使用

　　对于现代人来说,纸不过是一种极其普通的物品。在我们的日常生活中,到处可以看到纸的身影,包装用纸、印刷用纸、工业用纸、办公用纸、生活用纸,满目皆是。我们早已习惯了各种各样的纸,习惯到根本不会去思考这样的问题:纸是什么时候发明的? 古人如何用纸? 纸的意义何在? 只有当我们翻阅文献,追寻历史时才会省悟到:纸的出现,在文字书写史上具有划时代的意义。它为人们提供了好用易得的书写材料,使人们摆脱了稀罕难得、贵重无比的书写材料的限制。纸的推广与普及,为知识和文化的推广与普及提供了物质条件,也极大地推动了中国古代文明的传承与发展。

　　中国古代民间传说中,常常将某一事物的发明系于一个具体人物的身上,如仓颉造字、蒙恬造笔等。纸相传是东汉时代一位名叫蔡伦的宦官发明的。实际上,根据史书记载,在蔡伦之前就已经有纸了。《后汉书·蔡伦传》中就说道:"自古书契多编以竹简,其用缣帛者谓之为纸。"竹简是人们最初所用的书写材料之一,把一片片竹简编连在一起,就成为书册。那些用缣帛制作的书写材料,就称为纸。这种纸就是丝绵纸,与我们今日所说的由植物纤维构成的纸意义不同。1986年,甘肃天水放马滩出土了纸质地图的残页。考古专家根据其材质,断定其为麻纸,其年代则至少在西汉初年之前。这是现在我们所能见到的最早的纸张,不过,那个时候,纸张制作还十分粗糙,技术并不成熟,还不能普及。

惠施是庄子的朋友,据说惠施的学问很好,他读过的书要五辆车来拉。这些书大概就是简帛材质的。蔡伦意识到,绢帛作为书写材料十分昂贵,而竹简又相当笨重,使用极不方便。于是,他开始探索用树皮、麻头、破布、渔网等价值低廉的物品来制造纸张。经过无数次尝试,他终于成功地制造出了可以用于书写的纸。东汉和帝元兴元年(105),蔡伦将制作成熟的纸张呈献给皇帝。经过蔡伦改良之后的纸张,廉价而轻便,并且适合书写,受到了皇帝的赞赏。从此以后,人们都开始使用这种纸。为了纪念蔡伦造纸的功绩,人们将这种纸称为"蔡侯纸"。

在蔡伦之后,人们改良纸张的探索一直没有停止。东汉末年,山东东莱人左伯改进了蔡伦的造纸术。他造出来的纸张厚薄均匀,质地细密,色泽鲜明,被人们称为"左伯纸"。三国时代,魏国的韦诞擅长书法,还懂得制墨。他曾向皇帝介绍自己字写得好的经验,是使用了"张芝笔""左伯纸"以及他自己制作的墨,这就是所谓"工欲善其事,必先利其器"的道理。有了这样三方面的工具和材料的保证,这位书法家便增加了不少自信,他的书写便能发挥到最高水平。韦诞特别提到"左伯纸",可见在三国时代,这种纸仍然受到时人的青睐。可惜的是,左伯的造纸技术并没有流传下来。

到了魏晋南北朝的时候,纸张已经取代了简帛,成为普及而相对廉价的书写材料。各地的造纸就地取材,用料不同,产品的风格也自有不同。如江南地区大多以稻草、麦秆纤维造纸,质地粗糙,不便书写。北方地区则以桑树茎皮纤维造纸,品质优良,色泽洁白,轻薄软绵,纸纹扯断如棉丝,被称为"棉纸"。东阳(今浙江金华市)生产的鱼卵纸,是这个时代最为出色的纸张之一。鱼卵纸柔软光滑,轻薄洁净,对着日光,可以看到纸面的纹路如同鱼卵,故而得名,又因其纸色白,有如新出的蚕茧,也被称为"蚕茧纸"。相传东晋"书圣"王羲之书写《兰亭集序》的时候,用的就是蚕茧纸。这种纸制作精美,常常用于文人间的书信往来,故而又有"鱼子笺""鱼笺"之名。直到晚唐时代,"鱼子笺"还是朋友间馈赠的佳品。晚唐诗人陆龟蒙曾得到好友皮日休赠送的"鱼子笺",特地写诗致谢。蚕茧纸的制作过程及其色泽纹路,在诗中都有描绘:"捣成霜粒细鳞鳞,知作愁吟喜见分。向日乍惊新茧色,临风时辨白萍文。好将花下承金粉,堪送天边咏碧云。见倚小窗亲襞染,尽图春色寄夫君。"(《袭美以鱼笺见寄,因谢成篇》)今天读这首诗,还可以想见"鱼子笺"的风采神韵。

隋唐时代,造纸术进一步发展,日后普遍应用于书籍印刷的宣纸就产生于这个时期。宣纸因其原产于皖南宣州(今安徽宣城)而得名。这种纸以青檀树嫩枝的皮为原材料加工而成,不褪色,不变脆,经久耐用,易于保存,故有"千年寿纸"的美誉。据《旧唐书》记载,唐玄宗天宝(742—756)年间,江西、四川、安徽南部、浙江东部等地都以所产纸进贡皇室,其中最为精美的当属宣州特产宣纸。南唐后主李煜对宣纸珍爱异常,他曾亲自监制,生产出一款"肤如卵膜,坚洁如玉,细薄光润,冠于一时"的宣纸,因为贮藏于"澄心堂"中,而被称为"澄心堂纸"。这种纸是宣纸中的珍品,受到宋代以来不少文人的喜爱。北宋大文豪苏轼曾获得朋友所赠澄心堂纸,喜出望外,写诗答谢:"古纸无多更分我,自应给扎奏新书。"其欣幸之情溢于言表。到了明代,这种纸更为稀罕,书法家董其昌得到这种纸时,竟然有"此纸不敢书"的感慨,可见其珍贵非同一般。

宋代以后,随着印刷术的日益普及,对纸的需求量越来越大,进而刺激造纸技术迅猛发展,各地造出来的纸种类繁多,异彩纷呈。蜀地以麻纸为主,继承了蔡伦发明的传统造纸技术。皖南地区以宣纸为主,把唐代以来的宣纸技术加以改良创新,造出来的纸深受文人喜爱。江浙一带则发挥自身的物产优势,利用竹子造出了全新的竹纸。竹纸以刚发芽的嫩竹为原料,造出来的纸张洁白细腻,光滑平整。到了南宋时代,江浙地区生产的竹纸,大有与巴蜀地区生产的麻纸分庭抗礼的趋势。南宋人陈槱在《负暄野录》中,就称赞江浙地区的竹纸比其他地方的纸都要好,"若以佳墨作字,其光可鉴"。从这里异军突起的竹纸,很快成为纸中新贵,受到文人的追捧,获得书画家的垂青。到了明清时期,竹纸与宣纸成为产量最多、运用最广的品种。近代国画大师张大千曾将这两种纸誉为"国之二宝"。

魏晋以后,纸张成为人们主要的书写材料。一开始,纸张产量有限,一旦突然间有某种大量需求,就难免供不应求,造成一个地区的纸张价格陡然上涨。西晋时期,身在首都洛阳的著名作家左思的名篇《三都赋》问世之后,很快就脍炙人口,人们争相买纸传抄,竟发生了"洛阳纸贵"的轰动事件。大约与左思同时代的作家傅咸,曾写过一篇专门歌咏纸张的小赋,他用了很多美好的词语来赞叹纸张,比如"厥美可珍"

"廉方有则""体洁性贞"之类。在赋篇的末尾,他还说到纸的用途:"援笔飞书,写情于万里,精思于一隅。"也就是说,纸张不仅洁白珍贵,而且还能记录和传播作者的情思,不受时间和空间的限制。他已经注意到了纸张对于文化传播的重要作用。

在古代中国,读书识字并不是大多数人能够做到的,使用纸张的主要是读书人。这就造成了社会上对于知识文化的尊敬与崇拜。在科举时代,社会上一直有"万般皆下品,唯有读书高"的世俗观念。作为知识文化载体的书籍,因此被大众倍加珍视,甚至奉若神明。清代藏书家孙庆增在《藏书纪要》中说,天地之间有书籍,就好比人身上有性灵。"人身无性灵,则与禽兽何异? 天地无书籍,则与草昧何异?"在他眼里,书籍是有生命、有灵性的,没有书籍的世界,就是一个蛮荒草昧的世界。这种观念在古代中国具有相当的普遍性。出于对书籍与知识的尊重,连带着对文字与有文字的纸张也特别尊重和爱惜,于是,"敬惜字纸"的观念在社会上应运而生,并广泛传播,影响及于汉字文化圈内的东亚社会。

到了宋代,对于字纸的崇敬爱惜,已有了近乎宗教性的严格约束。明代人郎瑛在笔记《七修类稿》中就记载了一段敬惜字纸的故事。宋代状元王曾的父亲特别敬惜字纸,每次见到遗落地上的字纸,都要小心地捡起来,设法洗干净了,再焚化掉。有一天夜里,他梦见孔子过来拍拍他的肩膀,对他说:"你敬惜字纸有功,理应受到嘉奖。可惜你本人岁数太大了,所以,这奖赏只好给你儿子。我会安排曾参投胎到你家,光大你家的门户。"过了不久,王家果然生下一个男孩,因为这个缘故,这男孩就被命名为王曾。王曾长大后,果然是读书种子,最终状元及第,光宗耀祖。这个故事中的王家父子,为敬惜字纸的社会观念提供了正面的典范。从这个故事中也可以看出,儒家重视书写文化和科举文化的思想,与佛家重视"轮回果报"的观念,已经结合到一起,并渗透到民间的日常生活中,为敬惜字纸这一文化传统提供了社会土壤。

在明清时代,敬惜字纸的观念流传更广,更为深入人心。从皇帝下诏,到宗教劝诫,到民间信奉,社会上到处都是"敬惜字纸"的标语。鲁迅还曾见过不少,他在《朝花夕拾·琐记》中写道:"庙旁是一座焚化字纸的砖炉,炉口上方横写着四个大字'敬惜字纸'。"又在《门外文谈》中说道:"因为文字是特权者的东西,所以就有了尊严性,并且有了神秘性。中国的字,到现在还很尊严,我们在墙壁上就常看见挂着'敬惜字纸'的篓子。"因为对文字有着特殊的情感,中国古人对于字纸的敬惜如宗教般虔诚。明代白话小说集《二刻拍案惊奇》卷一开篇就有这样一首诗:"世间字纸藏经同,见者须当付火中。或置长流清净处,自然福禄永无穷。"字纸可以视为书籍的一部分,甚至等同于书籍,对待字纸,就像对待经书一样。人们不能随便毁弃任何一张有字的纸张,而要将其集中到惜字塔或者敬字亭中焚化,或者置于清净的流水之中,这是积累功德之举,可以为子孙后代赢得福报。敬惜字纸不仅是日常生活中必须遵守的习俗,而且是传统社会中念念不忘的道德训诫。纸张与书籍以及文化关系之密切,由此可见一斑。

# 抄书、藏书与读书

纸的发明与改良,为文人的书写提供了极大的便利。随着社会经济的不断发展,造纸规模逐渐扩大,纸张的生产数量越来越多,质量也日益提高,人们对纸张的认识也越来越充分。自魏晋南北朝以后,纸张已经成为最主要的书写载体。一方面,人们利用纸张书写情意,记录史事,创作诗文作品;另一方面,人们也利用纸张传抄经典文献或者前人的名篇佳作,传播各类知识与文化。纸张的推广使用,使中国书籍史进入了写本时代。

纸张出现之初,因为制作粗糙,或者成本较高,或者质量不过关,未能马上普及开来。所以,人们一开始对纸张不够重视,还是以简帛为贵。东汉著名书法家崔瑗年轻时家贫,曾以纸抄写书籍送给朋友,内中特别夹带一纸致歉。他说道:"今遣送《许子》十卷,贫不及素,但以纸耳。""素"就是书写用的绢帛。崔瑗家贫,买不起绢帛来抄写书籍,不得已才用廉价的纸张来代替,质量当然会受一些影响,他为此向朋友致歉。西晋文学家陆云喜欢哥哥陆机的文章,将其整理抄写为 20 卷,他写信向哥哥报告此事,还为纸张不精、书写不工而遗憾不已。

三国以后,纸张逐渐普及开来,其成本也随之降低,这为寒门士子读书和抄书提供了方便。从魏晋南北朝到唐代,一大批贫穷的文人以抄书为业,不仅能够借此养家糊口,还能顺便阅读经典,学习文化,甚至因此获得进入仕途的机会。抄书既是寒士的谋生手段,也是他们的读书方式之一。这种职业抄书人,史书上一般称为"佣书人""书人""书手""书工"等,其中有一批是专门抄写经书的,就称为"经生",而抄写经书的行为,则被称为"写经"。在魏晋南北朝的史书记载中,我们常常看到贫寒的读书人抄书读书的生动故事。在《魏书》中,就有很多这样的记载。例如,崔光"家贫好学,昼耕夜诵,佣书以养父母";崔亮"居家贫,佣书自业";房景伯"家贫,佣书自给,养母甚谨";刘芳"聪明过人,笃志坟典,昼则佣书以自资给,夜则读诵,终夕不寝"。贫寒的读书人在经历抄书式读书之后,学识大进,得以步入仕途,青史留名。这方面的例子不胜枚举。北朝如此,南朝也是如此。《南史》中记载朱异家里贫穷,"以佣书自业,写毕便诵,遍览五经,尤明《礼》《易》,涉猎文史,兼通杂艺,博弈书算,皆其所长"。也就是说,朱异各方面的学识都是在抄书中学习、积累起来的。《梁书》记载王僧孺通过替人抄书而成为博学之士。他学习非常刻苦,以致"照萤映雪",夜以继日。所谓"照萤映雪",就是靠萤火虫的光亮或者雪的反光来读书。这句话成为勉励人们读书、刻苦向学的成语,而王僧孺也成为历史上靠抄书而自学成才的典型之一。

与此同时,纸张的应用,也促使内府藏书由简帛向纸本转变。自汉代"求遗书于天下"以来,皇家藏书"百年之间,书积如丘山",据《汉书·艺文志》记载,西汉时期,内府的藏书达 13 269 卷。万卷藏书对于明清藏书家来说,仅仅是一个私家藏书的数量,但是对于简帛时代的汉代皇室来说,万卷藏书足以堆积如山。魏晋南北朝时代,虽然戎马干戈不断,但历代皇室都重视积累藏书,内府典藏日益丰富。到了梁元帝的时候,藏书已达十四万卷。这个可观的数量,这种令人惊讶的增长速度,主要得益于纸张的广泛使用。晋安帝元兴二年(403),桓玄代晋自立,曾下令以纸张取代竹简,作为书写和书籍收藏的主要载体。以纸代简，这是书籍史上具有标志性的重要事件。这一方面说明，在此之前，纸张已经广泛应用，得到世人的普遍认同；另一方面也说明，政府有关部门开始着手大批量抄书，把原先的书籍由竹简转写为纸本形式保存。在政府组织的这场浩大的抄书工程中，有大量的职业抄书人参与。不仅晋朝，其他朝代也有官府雇用的职业抄书人。北魏时的蒋少游就曾经以抄书为业，后来被召为中书写书生，从事官府藏书的抄写。北齐的张景仁也因为擅长抄写而被选进宫中，专事抄书。隋朝灭陈统一中国之后，把从陈朝缴获或者在南方搜集的图书带回长安，内府藏书急剧增加。但是，很多陈朝书籍纸墨不好，隋朝政府就组织善书者，用较好的纸墨重新抄写，编次保存。隋初，政府在秘书省设立了抄书的相关职位，有文林郎 20 人，掌管撰录文史，检讨旧事；又增设校书郎员 40 人，楷书郎员 30 人，负责抄写御书。这些在《隋书·百官志》中都有明确的记载，可见政府的抄书活动已经设立了规范的管理机构，并有了相应的制度保障。

纸张开始普及的魏晋南北朝时代，也正是佛教和道教盛行于世的时候。一方面，不少文士与佛道二教信徒投入到经书抄写的行列，对佛道二教的流行起到了推波助澜的作用；另一方面，佛道二教的流行，也促使社会形成以抄经为功德的观念，于是，更多善男信女在这种功德观的驱使下，不遗余力地去抄写经书。据《魏书》记载，信仰佛法的冯熙曾经自家出钱，"在诸州镇建佛图精舍，合七十二处，写一十六部一切经"。《梁书》中记载了佛教信徒刘慧斐"昼夜行道，孜孜不怠"，"手写佛经二千余卷，常所诵者百余卷"，引得远近之人都对他钦慕不已。当时社会上抄经念经的风气，真可以说到了"天下之人，从风而靡，竞相景慕"的地步。那个时代的佛经和道经，主要是以写本的方式流行的。西晋时代编写的官藏书目《中经新簿》开始著录佛经。到东晋时,出现了首部汉译佛经目录《综理众经目录》。刘宋时,最早的道典目录《三洞经书目录》也顺时而出。梁代出现了更为全面的佛教文献目录《出三藏记集》,编者是梁代著名高僧学者僧祐,依据的是他在首都建康(今江苏南京)定林寺所见的丰富经藏。所以,这本目录又简称为《僧祐录》《祐录》。需要强调的是,这些目录中的文献都是写本。到了隋文帝的时候,抄写的佛经已达十三万卷之多。除了善男信女的功德,佛道典籍的大量传抄,也离不开众多职业抄书人的辛勤劳动。

写本时代去今已远,绝大多数写本文献早已烟消云散,存世的宋以前的写本实物,片纸零篇,也格外珍贵。20 世纪初甘肃敦煌藏经洞的发现,为我们打开了一座写本文献和文物的宝库,也为我们深入了解中国中古时代书籍的阅读流传与收藏以及书籍文化的发展与繁荣提供了实物证明。1900年,敦煌莫高窟下寺的道教住持王圆箓,偶然发现莫高窟里的一间密室,密室里藏满了层层叠叠用布包裹的经卷。这是一次震惊世界的发现,埋藏近千年的藏经洞就这样重现人间,从此举世闻名。藏经洞里出土了大量文物,包括 5 世纪至 11 世纪的古写本文献和少量印本文献、佛画美术品、法器等。其中出土写本文献有五万余件,90% 以上都是佛教文献,近 10% 为官府文书、道教典籍、文学作品、启蒙读物、社会契约等非佛教文献。其数量之大,类别之多,都从一个侧面反映出当时敦煌莫高窟文化的繁荣。

敦煌出土的文献大都是写本,也就是手抄本,按其形式大致可以分为四类。第一类为长卷,这是卷轴形式的书籍,大都用来抄写佛经,一个长卷往往就是一部佛经。第二类为裱背装,裱背就是在卷子的背后糊上一层纸,用来保护内页,也起到装饰的作用。第三类为蝴蝶装,这类写本都是正反两面书写,正面写完,翻到反面继续写,把多页从一侧黏合起来就成了一本书,阅读的时候,一页一页翻动,犹如蝴蝶翻飞的样子。第四类为散页,散页是一些没有装订或者无需装订成册的书页,大体上是图案、信件、账单、收据、契约之类。敦煌卷子基本上都是抄写于纸上的写本,这为我们了解纸张的历史提供了珍贵的物证。从敦煌卷子中我们可以看出,不同时期,所用的纸张不同。魏晋南北朝使用的是麻纸;隋唐时期使用椿皮纸和桑皮纸;五代时以麻纸居多。不同的书籍,所用的纸张也不相同。如唐代抄写《道德经》所用的就是上等的好纸,而抄写佛经的卷子只是普通的纸张。唐代书写用纸主要有两种,一种是硬黄纸,这种纸经过涂蜡火烤,略呈透明黄色,比一般纸略硬,是唐时较为高级的纸张,一般用来抄写比较珍贵的书籍。在唐代尊崇老子的背景下,《道德经》都是用这类纸张书写。另一种为楮白纸,质地疏松,相对柔软,是普通的纸张,大量的佛经就是用这类纸张抄写的。

敦煌藏经洞的发现,对 20 世纪初的中国学术来说,无疑是一件可喜之事。然而,那个时候的中国,正处于贫穷积弱、动荡不安的时期,没有充分意识到藏经洞的重要性,也没有能力很好地保护和利用这批宝藏。这无疑是不幸的。西方探险者、盗宝者从世界各地涌来,争先恐后将大量的出土文物带出中国,使这些珍贵的文献流散海外。据统计,敦煌出土的文物,有 4/5 流散到世界各地,被英、法、俄等国的图书馆博物馆所收藏,敦煌学研究也很快成为世界性的学问。有一个流行的说法:"敦煌在中国,敦煌学在世界",说的就是这段令人辛酸的文物流散历史。

书籍抄写的传统,在古代中国源远流长,即使书籍已从写本时代进入刻本时代,这个传统也没有完全中断。古人抄书,大致有两种目的,一种是为抄书而抄书,这基本上是为别人抄的;一种是为读书而抄书,这基本上是为自己抄的。个人读书方式不同,抄书形式也千差万别。张溥是晚明时代一位重要的文学家,也是很有名的学者。他年轻的时候,所读之书必定手抄。抄完之后,朗诵一遍。朗诵完毕,烧掉抄本,再抄……如此反复抄录六七次,直到熟读成诵,才算将书读完。为了纪念这段读书经历,张溥将自己的书斋命名为"七录斋"。这种抄读方式比较适合篇幅较小的书籍。而对于篇幅较长的书籍,宋代文学家苏轼另有高招。据宋代笔记《耆旧续闻》记载,苏轼被贬至黄冈时,经常抄读《汉书》。有一次朋友来访,苏轼耽搁了好久才出来接待客人。客人问他干什么去了。他说:"抄《汉书》。"客人纳闷,苏轼天纵之才,过目不忘,怎么也要手抄书籍呢?苏轼为朋友解惑,就道出了自己的读书妙招:"我读《汉书》,至今已经第三次抄录了。第一次读,每段文章抄三个字为题;第二次读,每段文章抄两个字为题;这次读,每段文章只抄一个字为题。"客人更是不解,说:"那你抄写的书能给我看看吗?"苏轼把书取出来给客人看,客人看了更是糊涂,这一个字一个字的是什么意思呀?苏轼说:"你挑一个字,我来回答你。"客人挑了一个字,苏轼就立即把《汉书》中的相关文章背诵出来,滔滔不绝,几百字下来,一字不差。客人拍案叫绝,称赞道:"您真是天才啊!"

这样的抄书方式,大概也就只有像苏轼这样的天纵英才才能想得出,做得到。没有苏轼那样的记忆力、理解力和概括力,一般人只好老老实实地从头到尾、一字不落地抄写。古代读书人抄写最多的是经史典籍。南宋人罗大经在《鹤林玉露》里就记载了唐代张参、宋高宗抄写《九经》的故事。张参当国子司业的时候,曾手抄《九经》,还经常对人说:读书不如抄书。贵为皇帝的宋高宗赵构,也认同这一道理。他抄写《九经》,工工整整,始终如一。有一次,大臣徐俯建议宋高宗熟读《后汉书·光武帝本纪》，希望他以光武帝刘秀为榜样，中兴宋朝。宋高宗接纳了徐俯的建议，并且对徐俯说："读书十遍，不如抄写一遍。我就把《光武帝本纪》抄一份送给你。"看来，抄书也是他的读书方式，是家常便饭。

寓读书于抄书之中，是古代很多读书人使用的学习方式，他们早就认识到"读书不如抄书""读十遍不如写一遍"这样的道理，并乐于奉行。德国哲学家本雅明在《单向街》中提及古代中国的抄书做法时，非常形象地写道："一个人誊抄一本书时，他的灵魂会深受感动；而对于一个普通的读者，他的内在自我很难被书开启，并由此产生新的向度。因为一个读者在那种白日梦般的冥想中只追随自己思绪的流动，而一个抄书者却忠实地遵循书的指令。中国人誊抄书籍是一种无与伦比的文字传统，而书籍的抄本则是一把解开中国之谜的钥匙。"本雅明的论述，对古代中国知识分子这一阅读实践给予很高的评价，也让我们认识到，抄书作为"一种无与伦比的文字传统"的重要意义。

# 抄本与稿本

　　唐以前的书籍，如秦汉简帛、敦煌卷子，基本上都是写本。写本是与刻本相对的一个概念。自五代以后，雕版印刷流行，刻本逐渐占据市场的主流，成为读书人易于购买、便于阅读的案头书籍。各种刻本不断出现，其中的文字或有差异，或有讹误，于是有了版本的概念。在"版本"一词开始出现的时候，其意义只包括刻本，并不包括写本在内，尽管不同写本也存在文字的歧异。到了后来，刻本急剧增多，刻本之前的写本不可避免地被淘汰，存世写本的数量越来越少，也越来越珍贵。因此，版本的意义就扩大为以刻本为主的所有古籍，写本也包括其中。这就是说，当我们谈到版本的时候，既包括刻本，也包括写本；既包括刻本时代以前的写本，也包括刻本时代的写本。刻本时代的写本，主要包括抄本与稿本两大类。

　　抄本，即手抄的书籍。抄本有不同的分类方法，按抄写时代，可以分为宋抄本、元抄本、明抄本、清抄本等；按纸格的颜色，可以分为红格抄本、蓝格抄本、黑格抄本等；按抄写人的不同，可以分为内府抄本、私人抄本。抄本中影响最大的是内府抄本，明代有《永乐大典》，清代有《四库全书》，都属于内府抄本，规模也最为可观。

　　《永乐大典》是明成祖朱棣于永乐元年（1403）命解缙等人编辑的一部规模宏大的类书。次年，解缙就将此书编成，题名《文献大成》。然而，此书搜罗书籍太少，名不副实，远远达不到"大成"的程度。明成祖过目之后很不满意，于是下令重修。重修时动用了大量的人力物力，仅仅参加编校、录写、标点工作的人员就达两千多人。历时三年,此书终于在永乐六年(1408)编辑缮写完毕,引录书籍达七八千种,共两万余卷,11 095 册,总计有三亿多字。明成祖看到这个成果,相当满意,亲自撰写序文,并把此书最终定名为《永乐大典》。卷帙浩繁的《永乐大典》,不仅是当时我国最大的一部类书,也是当时世界上最大的百科全书。

《永乐大典》编成后,储藏于南京宫城文渊阁之中。永乐十九年(1421),明成祖朱棣迁都北京,《永乐大典》随之运到了北京,被放置于皇城内的文楼之中。到嘉靖年间,明世宗嘉靖皇帝特别喜爱《永乐大典》,生怕此书损毁,又命令重抄一部。于是选拔了一百多位善书人誊抄,整整花了六年时间,才将《永乐大典》原样重录了一份。抄录完毕的副本被放置在新建的皇史宬。说来奇怪,原本《永乐大典》自此杳无音讯,其下落不得而知。后人虽然有种种猜测,但无法确证,更使之变得扑朔迷离。《永乐大典》原本的消失,可以说是书籍史上最大的悬案。

《永乐大典》副本侥幸逃过了明清之际的战乱,但是已有两千余卷的残缺。清代乾隆年间编纂《四库全书》之时,这套并不完整的副本发挥了很大作用,从中辑录出不少久已散佚的古代书籍。后来,副本也被偷盗、焚烧、劫掠,最终毁于1900 年的庚子之乱中。现在仅存四百余册零本,分别收藏于中国大陆、台湾、日本、英国、德国、美国、越南、韩国这八个国家和地区。《永乐大典》副本都用厚实的白棉纸抄写,这种纸颜色洁白,质地细柔,韧性较强,是嘉靖朝刻书抄书的特色用纸。采用包背装,用粗黄绢包硬纸作为书衣,装帧精美。翻开书衣,栏框为红色,正文为墨色楷书,所引用书名用朱笔书写,句读加朱圈,朱墨粲然,赏心悦目。

《四库全书》是清代乾隆皇帝命臣子编纂的一部比《永乐大典》规模更大的大书。此书按传统的经史子集四部分类法，将历代书籍按类编排，统一抄录，是一套整齐划一的丛书。《四库全书》召集了 360 多位学者、官员编撰，3 800 多名善书者抄写，耗时 13 年编成，共收书 3 500 多种，79 000 余卷，约 8 亿字，装订成 36 000 余册，涵盖了中国古代学术文化的各个方面。此书编成之后，藏于北京紫禁城文渊阁。后来，乾隆帝又下令抄写六部，分别藏于辽宁沈阳文溯阁、北京圆明园文源阁、河北承德文津阁、江苏扬州文汇阁、镇江文宗阁和浙江杭州文澜阁。七部之中，文源阁本、文宗阁本和文汇阁本毁于战火，荡然无存，只有文渊阁本、文津阁本、文溯阁本和文澜阁本传承至今。

在抄录《四库全书》的过程中，制订了严格的规定，赏罚分明。政府以字迹匀净为选拔标准，从社会上召集了 3 000 多名抄写人员。每天都有 600 名从事抄写，每人抄写 1 000 字，每天至少可抄写 600 000 字。每人每年需抄写 360 000 字，5 年限抄 1 800 000 字。抄写字数多而且讹误少的，可授予官职。一旦发现字迹不工，则记过一次，罚多抄 10 000 字。校订工作也是如此严格。为了便于考核，每册之后，一律开列校订人员的名单，明确责任。编纂过程中诸如此类的各项严格规范，确保了《四库全书》抄录和校订的质量。

《四库全书》的编纂，在保存典籍传承文化方面功不可没。然而，在编纂此书的过程中，清朝政府从全国各地征集了大量书籍，进行了严格的审查，凡是带着反清思想或者汉族意识的书籍，一律遭到删改，严重者予以禁毁。销毁的书籍达三千多种，字句删改更是难以计数。比如岳飞《满江红》词中"壮志饥餐胡虏肉，笑谈渴饮匈奴血"一句，被改为"壮志饥餐飞食肉，笑谈欲洒盈腔血"；辛弃疾的《永遇乐·千古江山》词中，"人道寄奴曾住"一句被改作"人道宋主曾住"。这是因为在清代，"胡虏""匈奴""虏""奴"等字词都是违禁字

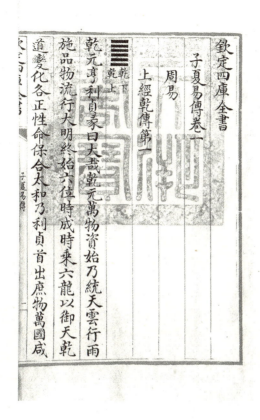

插图六：清乾隆写本：《文溯阁四库全书》

说明：包背装。框高22.5厘米，宽15.5厘米。半页8行，每行21字，小字双行同，红格，白口，四周双边。钤有"文溯阁宝"等印。现藏甘肃省图书馆。

图片来源：《第一批国家珍贵古籍名录图录》

词,四库馆臣见字即改,这种野蛮式的操作给古书造成了严重的灾难。对此,鲁迅先生曾给予严厉批评:"清人纂修《四库全书》而古书亡,因为他们变乱旧式,删改原文。"

《永乐大典》与《四库全书》作为抄本,复本有限,其流传难免要受到限制。实际上,官府曾经考虑过将其刊刻流行,然而,这两部巨书卷帙过于庞大,刊刻花费非同一般,最终都放弃了。只有一个复本的《永乐大典》,勉力传承了将近 600 年,最终毁于 20 世纪初的那场战火。《四库全书》的影印本,直到 20 世纪下半叶才出现,化身千万,散布人间。

稿本,一般指尚未最后写定,或者虽已写定而尚未刊印的书稿,通常可以分为手稿本、清稿本、修改稿本三类。手稿本,也称为原稿,是作者亲笔书写的本子,保留了作者的原始笔迹。一般而言,手稿本的书写比较随意,涂改勾画随处可见,从中可以看出作者的写作思路与思想变化。有些手稿本上还有作者的一些批注,如"要""删""补"之类,便于作者日后据此修改。还有些手稿本如同清稿本一样,卷面清爽,鲜有涂改痕迹。清稿本,是作者在手稿本的基础上重新誊录的稿本。这类稿本字迹清楚、格式规范。誊抄的人可以是作者本人,也可以是其他人。修改稿本,是作者在手稿本或清稿本的基础上,亲自修改的稿本。古人作文,并非一次写定,常常反复修改,所以这类修改稿本的数量不少,相比其他稿本而言,更能够看出作者精益求精的写作态度。我国现存最早的稿本,是北宋史学家司马光的《资治通鉴》手稿残页,今藏国家图书馆。残页是一份提纲,但确实是《资治通鉴》的一部分。此手稿被历代收藏家争相收藏,印章累累,其中包括清代乾隆、嘉庆、宣统等皇帝的玺印,价值连城。

稿本体现的是一部作品的最初面貌,在稿本之后,可能会有抄本,也可能会有刻本。在流传过程中,各种版本常常

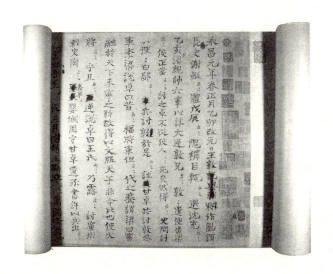

插图七:宋稿本:司马光《资治通鉴》残稿

说明:卷轴装。宽 33.2 厘米,长 106 厘米。29 行,465
字。有藏书印几十方,流传有序。现藏国家图书馆。

图片来源:《第一批国家珍贵古籍名录图录》

会由于各种因素导致作品失真。如何辨别版本的优劣，就成为读者首先要面对的问题。如果这部作品有稿本存世的话，无疑稿本具有至高无上的地位，因为相对而言，稿本比较能够体现作者的原始意图。以清代蒲松龄的《聊斋志异》为例。蒲松龄撰成《聊斋志异》的时候，家贫无力刊刻，只能在小范围内传抄流传。一直到乾隆年间，鲍廷博等人根据此书的一个抄本刻印，《聊斋志异》才得以广泛流传，从此翻刻不断。但是由于当时的政治环境并不宽松，刊本中的某些篇章被删削，某些字句被更改，已经失去了原书的本来面貌。在刻本流传的同时，蒲松龄的后代一直保存着《聊斋志异》的手稿本。到了20世纪，手稿本才开始为世人所知，可惜已经丢失一半，仅剩半部。幸运的是，尽管只剩下半部，其中仍保存着蒲松龄的手抄、王世贞的评语等，最为重要的是，手稿本中有28篇作品，是通行本所没有收录的。手稿本的发现，对恢复《聊斋志异》的原貌意义重大。由此可见手稿本的独特价值。又如曹雪芹的《红楼梦》一书，刻本、抄本众多。对于此书版本的讨论纷繁复杂，争论四起，莫衷一是。要是哪天能够像发现蒲松龄的手稿本一样发现曹雪芹的手稿本，那么，很多问题就可以解决了。

　　从理论上说，任何一种书籍都要经过手写这一过程，都有稿本。所谓稿本，实际上也是一种写本。无论是写本还是稿本，每一本都是独一无二的，不可复制的。一部写本或稿本的散失，小则失去一个值得参校的版本，大则导致一种书籍的亡佚。因此，刻本时代的知识分子，特别重视写本与稿本的收集与刊印。书籍只有刊印，才能在社会上广泛流传，更好地实现自身的文献价值与文化意义。严格说来，稿本是相对于刻本而言的，是书籍史进入刻本时代以后的产物。但稿本毕竟又是写本文化的一种表现，所以我们把它提前到"写本时代"来谈。

# 原典选读

## [南北朝]范晔《后汉书·蔡伦传》(节选)

蔡伦,字敬仲,桂阳人也。以永平末始给事官掖,建初中,为小黄门。及和帝即位,转中常侍,豫参帷幄。伦有才学,尽心敦慎,数犯严颜,匡弼得失。每至休沐,辄闭门绝宾,暴体田野。后加位尚方令。永元九年,监作秘剑及诸器械,莫不精工坚密,为后世法。自古书契多编以竹简,其用缣帛者谓之为纸。缣贵而简重,并不便于人。伦乃造意,用树肤、麻头及敝布、鱼网以为纸。元兴元年奏上之,帝善其能,自是莫不从用焉,故天下咸称"蔡侯纸"。

## [唐]房玄龄《晋书·左思传》(节选)

左思字太冲,齐国临淄人也。其先齐之公族有左右公子,因为氏焉。家世儒学。父雍,起小吏,以能擢授殿中侍御史。思少学钟、胡书及鼓琴,并不成。雍谓友人曰:"思所晓解,不及我少时。"思遂感激勤学,兼善阴阳之术。貌寝,口讷,而辞藻壮丽。不好交游,惟以闲居为事。

造《齐都赋》,一年乃成。复欲赋三都,会妹芬入宫,移家京师,乃诣著作郎张载访岷邛之事,遂构思十年,门庭藩溷皆著笔纸,遇得一句,即便疏之。自以所见不博,求为秘书郎。及赋成,时人未之重。思自以其作不谢班、张,恐以人废言,安定皇甫谧有高誉,思造而示之。谧称善,为其赋序。张载为注《魏都》,刘逵注《吴》、《蜀》而序之曰……自是之后,盛重于时,文多不载。司空张华见而叹曰:"班张之流也。使读之者尽而有余,久而更新。"于是豪贵之家竞相传写,洛阳为之纸贵。初,陆机入洛,欲为此赋,闻思作之,抚掌而笑,与弟云书曰:"此间有伧父,欲作《三都赋》,须其成,当以覆酒瓮耳。"及思赋出,机绝叹伏,以为不能加也,遂辍笔焉。

## [宋]沈括《梦溪笔谈》卷一

馆阁新书净本有误书处,以雌黄涂之。尝校改字之法,刮洗则伤纸,纸贴之又易脱;粉涂则字不没,涂数遍方能漫灭。唯雌黄一漫则灭,仍久而不脱。古人谓之铅黄,盖用之有素矣。

## [宋]陈鹄《耆旧续闻》卷一

朱司农载上尝分教黄冈,时东坡谪居黄,未识司农公。客有诵公之诗云:"官闲无一事,蝴蝶飞上阶。"东坡愕然曰:"何人所作?"客以公对。东坡称赏再三,以为深得幽雅之趣。异日,公往见,遂为知己。自此时获登门。偶一日,谒至,典谒已通名,而东坡移时不出。欲留,则伺候颇倦;欲去,则业已达姓名。如是者久之,东坡始出,愧谢久候之意。且云:"适了些日课,失于探知。"坐定,他语毕,公请曰:"适来先生所谓日课者何?"对云:"钞《汉书》。"公曰:"以先生天才,开卷一览,可终身不忘,何用手钞邪?"东坡曰:"不然,某读《汉书》,至此凡三经手钞矣。初则一段事,钞三字为题,次则两字,今则一字。"公离席复请,曰:"不知先生所钞之书,肯幸教否?"东坡乃命老兵就书几上取一册至。公视之,皆不解其义。东坡云:"足下试举题一字。"公如其言,东坡应声辄诵数百言,无一字差缺。凡数挑皆然。公降叹良久,曰:"先生真谪仙才也。"

## ［宋］罗大经《鹤林玉露》卷一"手写九经"条

唐张参为国子司业，手写九经，每言读书不如写书。高宗以万乘之尊，万几之繁，乃亦亲洒宸翰，遍写九经，云章烂然，终始如一，自古帝王所未有也。又尝御书《汉光武纪》赐执政徐俯，曰："卿劝朕读《光武纪》，朕思读十遍不如写一遍，今以赐卿。"圣学之勤如此。

## ［清］全祖望《鲒埼亭集外编》卷十七《钞永乐大典记》

明成祖勅胡广、解缙、王洪等纂修《永乐大典》，以姚广孝监其事。始于元年之秋，成于六年之冬。计二万二千七百七十七卷，凡例、目录六十卷。冠以御制文序，定为万二千册。广孝奉诏再为之序。其时公车征召之士，自纂修以至缮写，几三千人，缁流羽士，亦多预者。书成，选能诗古文词及说书者二百人，充试吏部，拔其尤者三十人授官，其余亦有注籍选人者。方是书初上，诏名《文献大成》，后改焉。孝宗最好读书，召对廷臣之暇，即置是书案上。嘉靖四十一年，禁中失火，世宗亟命救出，此书幸未被焚。遂诏阁臣徐阶，照式模钞一部，当时书手一百八十，每人日钞三纸（原注：一纸三十行，一行二十八字），至隆庆改元始毕。崇祯时，刘若愚著《勺中志》，已言是书不知今贮何所。是其书在有明二百余年以来，赖世庙得如卿云之一见，而总未尝入著述家之目。暨我世祖章皇帝万几之余，尝以是书充览，乃知其正本尚在乾清宫中，顾莫能得见者。及圣祖仁皇帝实录成，词臣屏当皇史宬书架，则副本在焉，因移贮翰林院，然终无过而问之者。前侍郎临川李公在书局,始借观之,于是予亦得寓目焉。其例乃用洪武四声韵分部,以一字为纲,即取十三经、廿一史、诸子百家,无不类而列之,所谓因韵以统字,因字以系事者也,而皆直取全文,未尝擅减片语。夫偶举一事,即欲贯穿前古后今书籍,斯原属事势所必不能。而大典辑香并包,不遗余力,虽其闲不无汗漫陵杂之失,然神魄亦大矣。盖尝闻诸儒商榷凡例,初多参辰,王偶笑曰:欲构层楼华屋,乃计功于箍桶都料耶?则凡例,盖取偶手也。若一切所引书,皆出文渊阁储藏本,自万历重修书目,已仅有十之一,继之以流寇之火,益不可问。闻康熙间,昆山徐尚书健庵以修《一统志》言于朝,请权发阁中书资考校,寥寥无几,则是书之存,乃斯文未丧一硕果也。因与公定为课,取所流传于世者,概置之,即近世所无,而不关大义者亦不录。但钞其所欲见而不可得者,而别其例之大者为五:其一为经,诸解经之集大成者,莫如房审权之《易》,卫湜、王与之之二礼,此外莫有仿之者,今使取《大典》所有,稍为和齐而斟酌,则诸经皆可成也。其一为史,自唐以后,六史篇目虽多,文献不足,今采其稗野之作、金石之记,皆足以资考索。其一为志乘,宋、元图经旧本,近日存者寥寥,明中叶以后所编,则皆未见古人之书而妄为之,今求之《大典》,厘然具在。其一为氏族,世家系表而后,莫若夹漈通略,然亦得其大概而已,未若此书之该备也。其一为艺文,东莱文鉴不及南渡、遗集之散亡者,《大典》得十九焉。其余偏端细目,信手荟萃,或可以补人间之缺本,或可以正后世之伪书,则信乎取精多而用物宏,不可谓非宇宙间之鸿宝也。会逢今上纂修三礼,予始语总裁桐城方公钞其三礼之不传者,惜乎其阙失几二千册,予尝欲奏之今上,发宫中正本以补足之,而未遂也。夫求储藏于秘府,更番迭易,往复维艰,而吾辈力不能多畜写官,自从事于是书,每日夜漏三下而寝,可尽二十卷。而以所签分令四人钞之，或至浃旬未毕，则欲卒业于此，非易事也。然以是书之沈屈，忽得人读之，不必问其卒业与否，要足为之吐气。嗟乎！温公《通鉴》之成，能读之至竟者，只王益柔一人，其余未及一卷，即欠伸思睡。况《大典》百倍于此，其庋阁也固宜。今吾辈锐欲竟之，而力不我副，是则不能不心以为忧者也。

## ［清］朱筠《笥河文集》卷一《谨陈管见开馆校书折子》

奏为谨陈管见，仰祈睿鉴事。窃惟载籍重于左史，目录著于历代，典至巨也，制至详也。我皇上念典勤求，访求遗书，不惮再三，凡在鼓箧怀椠之伦，莫不蒸蒸然思奋，勉献一得，矧臣蒙恩职厕文学，敢竭闻见知识一二，为我皇上陈之：

一、旧本抄本尤当急搜也。汉唐遗书，存者希矣。而辽宋金元之经注文集，藏书之家，尚多有之，顾无刻本，流布日少。其他九流百家，子余史别，往往卷帙不过一二卷，而其书最精，是宜首先购取，官抄其副，给还原书，用广前史艺文之阙，以备我朝储书之全，则著述有所原本矣。

一、中秘书籍，当标举现有者以补其余也。臣伏思西清东阁，所藏无所不备，第汉臣刘向校书之例，外书既可以广中书，而中书亦用以校外书，请先定中书目录，宣示外廷，然后令各举所未备者以献，则藏弆日益广矣。臣在翰林常翻阅前明《永乐大典》，其书编次少伦，或分割诸书以从其类。然古书之全而世不恒觏者，辄具在焉。臣请敕择取其中古书完者若干部，分别缮写，各自为书，以备著录。书亡复存，艺林幸甚。

一、著录校雠当并重也。前代校书之官，如汉之白虎观、天禄阁，集诸儒校论异同及杀青，唐宋集贤校理，官选其人，以是刘向、刘知几、曾巩等并著专门之业,历代若《七略》、《集贤书目》、《崇文总目》,其书具有师法。臣请皇上诏下儒臣,分任校书之选,或依《七略》,或准四部,每一书上,必校其得失,撮举大旨,叙于本书首卷,并以进呈,恭俟乙夜之披览。臣伏查武英殿原设总裁、纂修、校对诸员,即择其尤专长者,俾充斯选,则日有课,月有程,而著录集事矣。

一、金石之刻,图谱之学,在所必录也。宋臣郑樵以前代著录陋阙,特作二略以补其失。欧阳修、赵明诚则录金石,聂崇义、吕大临则录图谱。并为考古者所依据。请特命于收书之外,兼收图谱一门,而凡直省所存钟铭、碑刻,悉宜拓取,一并汇送校录良便。

臣梼昧之见,是否可采,伏冀皇上睿鉴施行,谨奏。

# 刻本时代

　　在中国古代四大发明中,造纸术和印刷术都与书籍史密切相关。造纸术的发明与改良,为书写提供了绝妙的材料,也为书籍的传播提供了方便。而雕版印刷术的发明,则将书籍生产与传播从书写传抄中解放出来,大大提高了效率。造纸术与印刷术的结合,开启了书籍史上一个全新的时代——刻本时代。这是一个图书可以复制并且大量生产的时代,是一个书籍数量急剧增加的时代,也是文化迅速传播和高度繁荣的时代。

## 雕版印刷与活字印刷

在印刷术产生之前，人们早就开始尝试图文的复制技术。镂金刻石，制作印章，其中已经包含雕刻技术的因子。印章与石刻不同的地方，一是文字反刻；一是印面不大，字数不多。但也有极少数印章特别大，文字特别多，例如晋代葛洪《抱朴子内篇》记载有一枚4寸见方、120字的大型印章，从这里也可以看到雕版的影子。纸张广泛应用之后，中国人又发现用捶拓技术可以复制石刻上的文字。其过程是先将打湿的纸覆盖在石刻之上，再捶击纸面，使纸石平凹贴合，最后在纸上刷墨，使石刻文字在纸上呈现出来。人们从镌刻与捶拓技术中获得灵感，通过一系列技术革新，将两者完美结合起来，从而创造了一项全新的图书复制生产方法——雕版印刷术。

　　雕版印刷术是一项将文字反刻于模板上用来印刷书籍的技术，是古代中国人民智慧的结晶。雕版印刷分为两大步骤，一为雕版，一为印刷。雕版的模板一般选用纹质细密坚实的木材，如枣木或梨木，所以后人常用"付之梨枣"一词来指称书籍的刊刻印行。木材要切割成一块块木板，然后把要印的字写在薄纸上，反贴在木板上，再依照每个字的笔画，一字一字地刻成阳文。木板刻写完毕就可以印书了。印刷时，用蘸了墨的刷子在雕版上刷一下，然后把纸覆盖在板上，另用干净的刷子在纸张刷一下，字墨就印在了纸上。把纸揭下来，一页书就印好了。待全部书页印完，再装订成一本书。

　　关于雕版印刷术起于何时，学术界提出了多种不同的说法，有东汉说、晋朝说、六朝说、隋朝说、唐代说。唐代说因为有文献记载与敦煌实物的佐证，所以得到大多数学者的支持。20世纪初，敦煌出土了一卷刻本《金刚经》，卷末有"咸通九年四月十五日王玠为二亲敬造普施"的字样。咸通是唐懿宗的年号，咸通九年是868年。人们据此推测印刷术的发明不会晚于这个时间。这本经卷于1907年被英籍匈牙利人斯坦因盗取，现藏大英图书馆，被大英图书馆称为世界上最早的印刷书籍。1944年，成都市东门外望江楼附近的一座唐墓，出土了一份《陀罗尼经咒》，刻有梵文及小佛像，边上有一行汉字，为"成都府成都县龙池坊卞家印卖咒本"。成都在唐代原称蜀郡，到唐肃宗至德二年（757），才改称为成都府。据此推测，该印刷品的时间当在757年之后。有人据此认为，印刷术的发明不会晚于8世纪。1966年，韩国庆州地区发现了刻本经书《无垢净光大陀罗尼经》。据研究，此经书刻成于704—751年，在武则天当政之时，于洛阳刻印后传入朝鲜的。这是目前世上发现的最早的印刷品。因此，有人认为，印刷术在此之前已经产生。

从总体上来看，早期的印刷术由于条件限制，一般仅印刷需求量较大、篇幅较短的书籍。如上文提到的唐代的三个印刷品，都是流行较广、篇幅较短的佛教经典。至于文学作品的印刷，最早见载于唐代诗人元稹为白居易诗文集所作的序文中。据元稹说，当时已经有人把白居易的诗歌"缮写模勒，炫卖于市井"，又说"扬越间多作书模勒乐天及予杂诗，卖于市肆之中也"。这里的"模勒"就是指雕版印刷，不过当时民间所刻印的，只是白居易与元稹最流行的那些诗篇，还不是整部诗集或文集。因此，白居易还是要把他的诗文集抄录多份，放置各处，期待传之久远。如果那时候他的诗文集已经有了刻本，就不必多此一举了。

进入五代，雕版印刷出现了崭新的面貌。后唐明宗长兴三年(932)，宰相冯道、李愚奏请刊刻《九经》，依据《开成石经》的文字刻《九经》印板，广颁天下。后周广顺三年(953)，《九经》刻版完成。这是儒家经典第一次以刻本形式流传。唐五代间有一位诗僧贯休，他的诗文集《禅月集》，有前蜀乾德年间(919—924)昙域所作的序，说此书乃"雕刻成部"。后蜀时，藏书家毋昭裔曾将《文选》《初学记》《白氏六帖》等书镂版，流传于世。相对于唐时以佛经为主的刊刻，五代时期的雕版印刷规模要大得多，与世俗书籍联系更为紧密。

进入宋代以后，雕版印刷技术更加成熟。两宋重文轻武，文化氛围浓厚，人们对于书籍的需求更为迫切。于是中央政府、地方政府、书院、书铺、私人等都参与到刻书事业之中。明末方以智曾经说过，"雕版印书，隋唐有其法，至五代而行，至宋而盛"，可谓精当之言。苏轼正好生活在宋代，对这种变化深有体会。他曾经不无感慨地说，以前的读书人，要想得到一部《史记》或者《汉书》，谈何容易，所以，一旦得到书，就会赶紧抄录，"日夜诵读，惟恐不及"。而近年来，由于刻书业的发展,"转相摹刻""日传万纸",市场上的诸子百家之书越来越多,学者得到书也越来越容易,结果很多后生反而"束书不观"了。(《李氏山房藏书记》)北宋时期印刷业的发展,推动了书的普及,也影响了当时人的读书方式。

刻书业的繁荣,促使了印刷技术的革新。在北宋时期,一项新的印刷技术应运而生,这就是活字印刷术。关于活字印刷术的记载,见于北宋沈括的《梦溪笔谈》。据沈括记载,活字印刷术的发明者为毕昇,他用胶泥刻字,用火烧后胶泥变得坚硬,成为一个一个的字模。印书时将单个的字模聚合在一个铁范之中,固定好,就成为一块书版。印书完成后再拆散书版,字模回收使用。这种印刷术使得字模可以重复利用,多次印刷,适合大规模印书,速度比雕版印刷快多了,效率提高,而成本却降下来了。毕昇的事迹我们知道的不多,他大概和沈括同时代,是一名布衣,从事刻书印书,仅此而已。但是,他发明的活字印刷术却影响深远,各个时代都有人使用这种技术来印行书籍,如南宋周必大就曾用"胶泥铜版"印刷了他的《玉堂杂记》,蒙古杨古也运用"沈氏活版"也就是毕昇的泥活字法,印刷了《小学》《近思录》等书。从泥活字开始,后来发展出了木活字和铜活字。元代王祯在安徽旌德县做官的时候,创制了三万多个木活字,用来排印书籍。明代无锡华燧会通馆以"活字铜版"印刷了《会通馆印正宋诸臣奏议》,这是国内现存最早的金属活字印本书。到了清代,活字印刷术还被官方采用,印行世所罕见而又有益大众的重要图书,这就是影响甚大的清乾隆年间活字本《武英殿聚珍版书》等书籍。相比欧洲德国人古登堡制造的铅合金活字,毕昇的发明要早四百多年。中国古代印刷技术的先进由此可见。

明清时代,商业繁荣,雕版印刷和活字印刷被广泛运用。

除此以外,还发展出成熟的套印技术。一般认为,元代至正六年(1340)刻印的朱墨二色的《金刚经注》,是我国现存最早的套印书籍。但这种技术到了明代万历(1573—1619)、天启(1621—1627)年间才真正发展起来,受到了读者的欢迎,并开拓了广泛的经济市场。

所谓套印,初期是将几种颜色涂在同一块雕版上,如正文涂墨色,注文或批注涂红色,花朵涂红色,叶子涂绿色等,然后覆上纸张刷印,这种方法被称为"敷色法"。后来随着技术不断改进,发展为根据不同内容的需要,分别雕刻不同的印版,每版各自上色,印刷时色彩由浅到深,由淡转浓,一版一刷。这种印刷技术,每版需要的版块小而多,犹如餐桌上的饾饤果盘,所以被人形象地称为"饾版"印刷法。我们现在所说的套印,一般就是指"饾版"印刷法。

明代最为成功的套印书籍,是万历时期浙江吴兴地区闵、凌两个家族刊刻的套印本。两家所制作的套印本不仅有朱墨二色套印,还有三色、四色甚至五色套印,色彩炫目,精美异常,最为世人津津乐道。闵、凌两家居住在经济繁荣、文化发达的浙江湖州地区,两姓之中多有经济富裕、文化修养高而又喜爱刻书的风雅之士。他们对书籍的制作相当用心,精益求精,备受艺林欣赏。他们的套印本不仅可以满足阅读的需要,也成为收藏家欣赏和追逐的艺术佳品。

在套印技术之后,又出现了"拱花"技术。"拱花"和今天的凸版印刷技术很类似,通过凹凸两版嵌合压印,从而使画面微凸,形成立体感。这种技术一般用于表现花草的轮廓、鸟类的羽翅、天上舒卷的云朵、河中流水的波纹之类。现存最早使用"拱花"技术印行的书籍,是明天启六年(1626)吴发祥印制的《萝轩变古笺谱》,但影响最大的作品是明末胡正言编印的《十竹斋书画谱》《十竹斋笺谱》。《十竹斋笺谱》后出转精,饾版、拱花两法兼用,将笺谱上的形象表现得栩栩如生。在此书卷前,有一篇李克恭所写的序言,对笺谱推崇备至。时至今日,他的评价还常常被人引用:"十竹诸笺,汇古今之名迹,集艺苑之大成。化旧翻新,穷工极变。"他特别欣赏《十竹斋笺谱》中的拱花、饾版技术,称赞其"五色缤纷""粲然夺目"。《十竹斋笺谱》问世之后,很受人欢迎,可是,在明末清代翻刻盗印屡见不鲜的时代大背景之下,此书竟然罕见盗版。这其实也不奇怪,因为要印制此书,需要复杂的工序和精致的工艺。可以说,《十竹斋笺谱》的印刷水平已经登峰造极,代表了中国古代印刷技术的最高水准。

印刷术的发明与革新,使得书籍大量生产与广泛传播,对知识的普及和文化艺术的发展产生了巨大的推动作用。

# 历代刻书巡礼

中国古代版刻图书代有新作，越到后世，存世的数量越多，可谓浩如烟海。正是如此，刻本的分类方法也多种多样。按刊刻的时代，可以分为宋刻本、元刻本、明刻本、清刻本等；按刊刻的主体，可以分为官刻本、坊刻本、家刻本等；按刊刻的地点，可以分为浙本、建本、蜀本等。每种分类方法之下，还可以细分为若干小类。这里主要采用时代分类法，兼及刊刻主体与刊刻地点等相关因素，引领读者巡礼各个时代版刻的不同风貌。

在历代刻本中，宋元刻本最受推崇。明清以来，宋元刻本即受到无数藏书家们追捧，至今更是价值连城。这是因为，宋元刻本历经千年沧桑兵燹人祸，存世无多，其中所蕴含的文献价值、艺术价值以及经济价值，是后代刻本无法相提并论的。

北宋沿袭五代传统，以官刻为主，官刻中又以国子监刻本为主。国子监刻书内容广泛，但以经史典籍为主，例如《九经》《史记》《汉书》《资治通鉴》等都在国子监刊刻印行。此外，国子监还刻印过《册府元龟》《太平御览》等大部头的类书，以及《南华真经》《荀子》等诸子书。一些实用性较强的图书，如《齐民要术》《九章算术》《广韵》《集韵》《说文解字》等，也曾在这里刊刻。国子监刻书目的明确，经史典籍以外的书籍，或者无关国计民生类的书籍，一般不予刊刻。如宋太宗时期编纂成书的《太平广记》500卷，因为是小说家言，充斥的是怪力乱神的故事，就没有能够在国子监刊刻。国子监刻印的书籍,可以面向社会大众出售。宋真宗时特别下诏,要求把国子监刻印的经书,拿到各州郡销售。所以,北宋士人所捧读的经史书籍,一般都是国子监刻本,这有利于经典文本的确定和标准化的推行。

在 1127 年的靖康之难中,国子监雕版悉数被毁,从此一蹶不振。南宋国子监刻书骤然衰微,起而代之的是各个地方官府的刻本。地方官府因资金雄厚,刻本常常校勘审慎,刻印精美,印数不少,所以会有较多的刻本传世。仅从现存的南宋官刻本来看,就有不少官府刻书机构的名目,如郡斋、县斋、郡学、郡庠、府学、州学、军学、县学、县庠、学宫、学舍转运司、安抚使司、茶盐司、公使库等,地方刻书事业百花齐放,从这些名目中可见一斑。

按照地域来看,南宋时期的刻书以浙江杭州、福建建阳、四川成都三地为盛,于是有了浙本、建本、蜀本的说法。对于这三个地方的刻书,南宋藏书家叶梦得有一个非常经典的分析。按照他的说法,杭州刻的书质量最高,四川其次,福建最差。四川与福建两地刻书,不太讲究材料,“多以柔木刻之,取其易成而速售,故不能工”,建本尤其如此,但因为价格低廉,所以风行天下。各地兴起的书坊后来居上,很快在刻书业中占据一席之地,并形成了自己独特的风格。其中最负盛名的当属临安(今杭州)陈宅书籍铺。书籍铺的主人为陈起,主要活动于宁宗、理宗时期(1195—1264)。他在宁宗时曾举乡贡第一,所以也被称为“陈解元”。陈起聪明好学,热爱诗文,广交朋友,他刻的书很多是唐人小集与当时人的诗集。陈氏刻书有其独特的风格。各书板式统一,均为半页 10 行,行 18 字,字体工整,美观大方。特别是卷末所镌“临安府棚北睦亲坊南陈宅书籍铺印”之“印”字,末笔一竖向下拉长,向左弯曲,特点鲜明,给人留下深刻的印象。

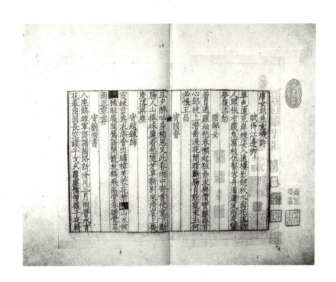

插图八：南宋临安陈宅书籍铺刻本：《唐女郎鱼玄机诗》一卷

说明：蝴蝶装。框高 17.3 厘米，宽 12.7 厘米。半页 10 行，行 18 字，白口，左右双边。钤有明清以来藏书家藏书印数十枚。现藏国家图书馆。

图片来源：《第一批国家珍贵古籍名录图录》

　　书坊刻书以经济利益为导向，难免会出现校勘不精、讹误常见的情况。比如福建建阳麻沙镇所刻书籍，就较多粗制滥造，在当时名声就不好。南宋陆游在他的《老学庵笔记》中，记载了一段流传很广的笑话，就是嘲讽"麻沙本"的。宋朝科考时，有一位考官出了一个题目："乾为金，坤又为金，这是为什么呢？"让考生作答。考生不知所云，面面相觑，不敢作答。有考生怀疑题目出错了，知道考题出自《易经》之后，就去核对原文。他查阅了国子监刻本《易经》，发现原文作："坤为釜。"就带着监本去质问考官，说："先生，你看的恐怕是麻沙本吧，监本分明是作'坤为釜'！"考官大为惶恐，急忙核对，才发现自己真的错了，连连道歉。麻沙本《易经》是否真的作"坤为金"，我们今天已经无法核实，但是，自此以后，"麻沙本"常常被作为劣质版本的代名词，就流传遐迩了。不过，对麻沙本也不能一概而论，其价值更不能全盘否定，因为麻沙本中也有不少值得重视的好书，其中最为世人称道的，就是建阳人黄善夫所刻印的《史记》三家注本。时至今日，存世的宋代麻沙本也极其稀罕，我们不能因为心存成见，而对麻沙本的价值熟视无睹。

　　元代的刻书也可分为官刻与私刻，其刻书风格特征与南宋较为接近，基本上继承了南宋的遗风，然而不及南宋刻本精美。元刻本也有其自身的特点，比如，书口多为黑口，字体多为"吴兴体"，不避讳，多用俗字与简体字等，这些特点成为鉴定元刻本的重要依据。赵孟頫是元代最著名的一位书法家，他是吴兴（今浙江湖州）人，他的字体在元刻本中最为流行，被人称为"吴兴体"。

　　宋元刻本在明清时代就非常少见。早在明末，江苏常熟的大藏书家毛晋就曾在他的藏书楼汲古阁门前悬挂告示，收集宋版书，以叶（古书中的页称为"叶"）计价。保留至今的宋元刻本,更是少之又少。有人统计,现存于世的宋元刻本总数在 5000 部左右,相对于明清刻本的存世数量来说,真是凤毛麟角,珍逾拱璧。因此,不难理解明清以来的藏书家追逐宋元本的狂热心态。他们以拥有宋元本而自夸,从他们所用的字号、藏书室名、藏书印等中,都可以看到他们抑制不住的得意炫耀。清代藏书家黄丕烈自号"佞宋主人",藏书楼名"百宋一廛",表示他拥有 100 部宋本。陆心源更自名其藏书楼为"皕宋楼",意思是他藏有宋版书 200 种,傲气逼人。吴骞收藏元刻本特别多,他的藏书室称为"千元十驾",又有藏书印"临安志百卷人家",表示他收藏有宋版乾道、淳祐、咸淳三朝《临安志》近百卷。几乎每一种宋元刻本,都凝聚过藏书家们炽热的目光,坊间有"一页宋版,一两黄金"的说法,实不为过。时至当代,宋元刻本更是价值连城。2012 年,以宋刻本《锦绣万花谷》领衔的 179 种、1 292 册过云楼藏书,拍出 2.162 亿的天价,令人瞠目结舌。珍贵的宋元刻本穿越千年时光积累起来的文物价值和文化意义,又转化为巨大的经济价值,让世界为之屏息凝视。

明代刻书产业蓬勃发展,从中央到地方,从官府到书坊,都有人参与刻书,规模都相当可观。由于特殊的政治环境,明代官府刻书还出现了一些新的特点。总的来看,明代官府刻书包括内府刻书、中央政府刻书、地方政府刻书和藩府刻书。内府刻书由司礼监所管辖的经厂负责,所以,内府刻书通常称为"经厂本"。经厂本板式宽阔,行格疏朗,字大如钱,多用赵(孟頫)体,以白棉纸印刷,特别讲究。由于此类书籍多出于宦官之手,校勘不精,因此不为学界所重。值得一提的是,内府曾多次刊刻过卷帙浩繁的佛教大藏经、《道藏》《番藏》等宗教图书,对于宗教文献的汇辑和传世贡献甚大。

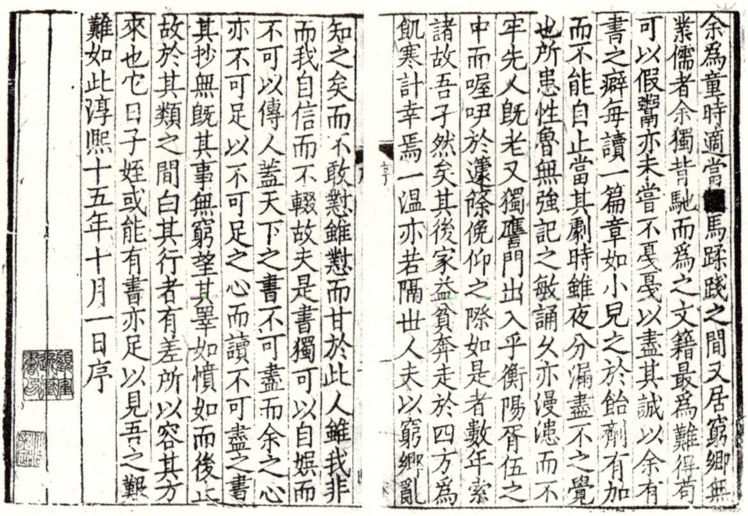
余爲童時適嘗[illegible]馬蹂踐之間又居窮鄉無
業儒者余獨昔馳而爲之文籍最爲難得苟
可以假鬻亦未嘗不戛戛以盡其誠以余有
書之癖每讀一篇章如小兒之於飴劑有加
而不能自止當其劇時雖夜分漏盡不之覺
也所患性魯無強記之敏誦久亦漫滤而不
牢先人既老又獨奮門出入乎衡陽胥伍之
中而喔咿於蘧篨俛仰之際如是者數年家
諸故吾孑然矣其後家益貧奔走於四方爲
飢寒計幸焉一温亦若隔世人夫以窮鄉亂
知之矣而不敢懟雖懟而甘於此人雖我非
而我自信而不輟故夫是書獨可以自娛而
不可以傳人蓋天下之書不可盡而余之心
亦不可足以不可足之心而讀不可盡之書
其抄無既其事無窮望其畢如憒如而後止
故於其類之間白其行者有差所以容其方
來也它日子姪或能有書亦足以見吾之艱
難如此淳熙十五年十月一日序

插图九：宋刻本：《锦绣万花谷》40 卷、《后集》40 卷

说明：线装。宋刻宋印，有淳熙十五年序，为海内孤本，世界最大部头宋版书。原为过云楼旧藏，现藏江苏凤凰出版集团。

图片来源：《过云楼藏书书目图录》

中央政府刻书主要指南北国子监的刻书。南京国子监为南监,刻书众多,据明周弘祖《古今书刻》记载,南监先后刻印了270余种图书,其中最为学人所称道的是《二十一史》。《二十一史》的版刻包括宋版七史、元版十史、明洪武刻版《元史》以及后来征集购买到的宋、辽、金三史书版。由于《二十一史》的书版时间不同,最早的刻于宋代,也有刻于元代甚至刻于明代的,有些版刻还经过递修,所以被称为"三朝本"。这些书版新旧不一,版式多样,风格有别,印出来的图书有的漫漶浸染,模糊不清。北京国子监为北监,刻书虽不及南监多,但也有85种之多。北监也刊刻过《二十一史》,但是校勘极粗,讹谬甚多,其质量远不及南监本,被学者称为"灾本"。

明代地方政府刻印最多的书籍是地方志、地方文献等,兼及其他方面的书籍。书籍在这时已经成为官场交往与友朋馈赠的佳品,地方政府争先恐后地刻印"书帕本"。明代人袁栋在《书隐丛话》中,就曾谈到明代官府刻书风气的盛行,特别提及"书帕本"。一方面,这是明代官刻风气盛行的产物;另一方面,当时官员上任或者奉使回京,总要带上"数卷新书与土仪,并充馈品",几乎相沿成俗,这种"新书"因为常常与绢帕绸缎等礼物一起送人,因此得名"书帕本"。"书帕本"作为官场社交的礼品,是官场附庸风雅的道具,因此特别注重装帧精美,或者追求形式别致,文字校勘方面倒不十分讲究,内容价值不高。

明代官府刻书有一个独特的现象,那就是藩府刻书。明代实行皇子封藩制,藩王政治上受中央政府的严密控制,无所作为,但往往拥有丰裕的时间,雄厚的财力,于是或优游于文艺,或肆力于刻书。藩府刻书种类繁多,经史子集四部齐全。因多选用宋元旧本及其他善本为底本,参校其他版本,校勘有理有据，且纸墨讲究，版刻精美，所以质量上乘，被认为是明代刻本中的精品。嘉靖时晋府所刻《唐文粹》、万历时吉府所刻《二十二家子书》、崇祯时益府所刻《茶谱》21 种，在明末就被誉为藩刻中的三大杰作，备受收藏家们的珍爱。

明代政府对刻书一律不征收赋税。在这种政策的鼓励下，全国各地书肆林立，刻书层出不穷，极大地活跃了图书市场，丰富了图书种类，充实了普通人的阅读资源。金陵、建阳、杭州三地书肆最多，依托的是这些地区经济与文化的繁荣。书肆刻书，追逐经济效益，多刻读者喜闻乐见的小说、戏曲等通俗读物，仅建阳书坊所刻的《三国演义》一书，现存版本就多达 13 种，其他如《水浒传》《琵琶记》等书也多次刊刻。书肆刻书有一个共同的特点，就是为了追逐经济利益，求快求廉，纸张大多不佳，校勘往往不精，常为读书人所诟病。

明代私人刻书与书肆刻书恰好相反。私人刻书不追求经济利益，讲究文字准确，纸墨精良，这是一般书肆不能企及的。与书肆刻书流传广泛相比，私人刻书则印数不多，流传稀少，因此，常被明清藏书家们视为精品。汲古阁主人毛晋就是明代末期最为著名的刻书家。毛晋世居江苏常熟虞山七星桥，家道殷实，有足够的经济实力来购书、藏书、刻书。他热爱书籍，曾张贴告示，高价求书："有以宋椠本至者，门内主人计叶酬钱，每叶出二百；有以旧钞本至者，每叶出四十；有以时下善本至者，别家出一千，主人出一千二百。"他购书出价比别人高，自然吸引很多人上门售书，以至当地流传着这样一条谚语："三百六十行生意，不如鬻书于毛氏"。毛晋广收善本书籍，为刻书做好了底本准备。他刻的书常有鸿篇巨制，如《十三经注疏》《十七史》《六十种曲》《汉魏六朝百三家集》《津逮秘书》等，无一不是卷帙浩繁，仅《十七史》书版就达二万二千余块。私人刻书有这么大的规模，可以说史无前例。

　　据不完全统计,现存于世的明刻本数量有三万五千种左右,比宋元刻本多了三万余种。虽然水平参差不齐,但是历经几百年的时间考验,留存于世的明刻本也值得我们珍惜,毕竟不少图书经由明刻而流播广泛,保留至今。

　　清代刻书业更加发达,无论是数量还是质量,都超越了明代。然而时至晚清,受到西方科学技术的冲击,传统的雕版刻书业急速衰落,起而代之的是科技时代的图书出版业。清代刻书主要有三大类,分别为内府刻书、官书局刻书、藏书家刻丛书。

　　清代内府刻书多出于武英殿。武英殿设立于康熙朝,仅康熙一朝,刻书就达五十余种,五千余卷,大多为儒家经典,如《朱子全书》《周易折中》之类。雍正一朝只有短短 13 年,但刻印大型类书《古今图书集成》就是在这个时期,由内府用铜活字刊印完成。到了乾隆时期,内府先后刊刻了《十三经注疏》、"殿本二十四史"、《武英殿聚珍版书》等大型书籍。据统计,仅乾隆一朝,内府共刻书 153 种,17 695 卷,远远超越前朝。除了经史典籍,内府还刊刻了大量诗文集,不过这些诗文集并不出自武英殿,而是出自扬州诗局。扬州诗局为曹寅所创,也属于内府系统。康熙四十四年(1705),江宁织造兼两淮盐漕监察御史曹寅在康熙的授命下,在扬州设立诗局着手校刻《全唐诗》。次年,《全唐诗》就刊刻完毕,共 900 卷。此书校勘审慎,字体精美,纸张白亮,墨色乌黑,开创了内府刻书精写、精刻、精校的风尚,被认为是清代雕版印刷史上的典范之作。《全唐诗》完成以后,扬州诗局相继刻印了不少诗文集,如《圣祖诗选》《历代诗余》等。嘉庆时,扬州诗局还刻印了《全唐文》。嘉庆以后,内府刻书由盛转衰,特别是同治年间的一场大火,武英殿书版毁于一旦,昔日盛况只留在人们的追忆与想象之中。

晚清时局动荡,风起云涌,饱受内忧外患之苦的清王朝摇摇欲坠,鸦片战争、中法战争以及庚子之乱等战乱,造成大量书籍毁坏散佚。长达十余年的太平天国之乱,更对江南地区的图书典籍造成巨大的破坏。曾国藩有感于此,在安庆设立江南官书局,大量采访遗书,期望通过广刻图书重振儒学文化。太平天国平定之后,江南官书局迁往金陵,改名为金陵书局。金陵书局之后,有一大批地方官书局相继创立,先后有浙江巡抚马新贻创立的浙江书局、湖广总督李瀚章创立的湖北崇文书局、两广总督张之洞创立的广雅书局,等等。

金陵书局刻书质量较高,是众多书局中的佼佼者。金陵书局先后刊刻过经史子集中的不少经典著作,尤其是在经史典籍的刊刻方面,用力甚勤。同治八年(1869),金陵、江苏、浙江、湖北等地诸官书局合作,共同刊刻二十四史。仅金陵书局一家,就承担了其中的 14 部,分别为《史记》《汉书》《后汉书》《三国志》《晋书》《宋书》《南齐书》《梁书》《陈书》《魏书》《北齐书》《周书》《南史》《北史》。另外十部史书由其他书局承担:《隋书》由淮南书局刊刻,《旧唐书》《新唐书》《宋史》由浙江书局刊刻,《旧五代史》《新五代史》《明史》由崇文书局刊刻,《辽史》《金史》《元史》由江苏书局刊刻。金陵书局刻本《史记》由张文虎校雠,校勘细密,质量上乘,尤其受人重视。20 世纪 60 年代,中华书局点校整理《二十四史》,《史记》就采用金陵书局本为底本。21 世纪初,中华书局重新点校整理《二十四史》,依旧采用金陵书局本《史记》为底本。金陵书局本《史记》历经一百多年的时间检验,依然是最好的《史记》刻本。金陵书局的刻书质量及其在近代刻书史上的地位,由此可见一斑。

清代私人藏书和刻书的风气特别盛,在丛书的刊刻方面,尤其不遗余力。众多优秀藏书家将他们费尽心力收集到的珍本秘籍编辑为丛书,勤加校雠,付之梨枣,嘉惠学林。清一代,丛书刊刻数量多达二百多种。著名的丛书有曹溶刻《学海类编》,宛委山堂刻《说郛》,卢见曾刻《雅雨堂丛书》,吴骞刻《拜经楼丛书》,孙星衍刻《平津馆丛书》《粤雅堂丛书》,张海鹏刻《学津讨源》《墨海金壶》,钱熙祚刻《守山阁丛书》等,最为有名的当推鲍廷博编刻的《知不足斋丛书》。

鲍廷博是乾嘉时期首屈一指的藏书家。为编纂《四库全书》,乾隆皇帝下诏向全国征集图书,鲍廷博一家就进献所藏珍本精本六百余种,在私家进献图书中名列第一。从此之后,鲍廷博的"知不足斋"名动朝野,连乾隆也写诗赞赏:"长编大部都庋阁,小说卮言亦入厨。"可见鲍氏藏书之多,涉及范围之广。藏书的目的是为了刻书。鲍廷博藏书的同时,无时不在认真校雠,以备刊行。他"每刻一书,必广借诸藏书家善本,参互校雠"。他的校雠原则是这样的:遇到不同版本文字有异的,就"择其善者而从之";异文都说得通的,就并存;一时证据不足难以作判断的,就保留异文,并加附注按语说明下。总之,绝不自以为是,妄改一字。这样审慎的态度,贯穿了他校书、刻书的一生。从乾隆四十一年(1776)着手校刻《知不足斋丛书》,到嘉庆十九年(1814)去世,鲍廷博一共刊刻了27集,持续将近40年。其子鲍士恭续刻后3集,至道光三年(1823),整套丛书才刊刻完成。《知不足斋丛书》共30集,收书208种(含附录12种),计823卷(含附录12卷)。这是一部大型综合性丛书,所收书籍特点鲜明,都是全本,多为珍抄、旧刻,都经过鲍氏手校。《知不足斋丛书》的刊刻完成,对当时的丛书编刻产生了重大影响。后来,有不少藏书家仿其体例,编刻《仿知不足斋丛书》《续知不足斋丛书》《后知不足斋丛书》《知足斋丛书》等,踵事增华,蔚为大观。

　　清代是我国古籍刊刻的极盛时代,更是古代书籍史的总结与集大成时期。清代刻本的实用价值与学术价值,至今仍为世人所重。而大量丛书的编刻,不仅展现了版刻时代的最后辉煌,更为学术与文化的发展,提供了源源不断的动力。清末张之洞在《书目答问》中说:"丛书最便学者,为其一部之中可该群籍,搜残存佚,为功尤巨。欲多读古书,非买丛书不可。"直到今天,这个说法还不过时。

# 商业刻书与社会文化

  自印刷术普及以来,书籍的刊刻就与社会政治、经济、文化等密不可分。一方面,社会政治、经济、文化等因素影响着书籍的刊刻,什么书籍需要刊行,值得刊行,通常受当时社会的各种因素左右。另一方面,书籍的刊刻与传播,又反过来影响着社会政治、经济、文化等诸多方面。两者的互动,不仅使刻书成为一个蓬勃发展的行业,也使之成为一道独特的文化风景。

  宋代出版业的兴起,得益于崇文抑武的基本国策。然而在立国之初,私人刻书还是有所限制的,自神宗以后,禁令方才松弛。宋代罗璧在《罗氏识遗》中说:"宋兴,治平以前,犹禁擅镂,必须申请国子监。熙宁后,方尽弛此禁。"治平(1064—1067)是宋英宗的年号,熙宁(1068—1077)是宋神宗的年号。至神宗时期,宋朝已立国百年,江山已固,此时全面开放私家刻书,为商业刻书打开了方便之门。对于宋代文化的发展,这项政策是有积极作用的。

  北宋首都汴京(今河南开封)不仅是全国的政治中心,还是经济文化发达地区,商贾云集,书坊林立。开封大相国寺内,常有书商刻书来售。据传,宋初文学家穆修曾买到唐代古文大家韩愈和柳宗元文集的善本,非常高兴,就自己出资,雇用匠人刻印二家文集出版,在大相国寺售卖。李清照在《金石录后序》中,回忆夫君赵明诚在太学作学生的时候,每月初一和十五两天,都要典当衣服,换取钱财,以便去相国寺买"碑文、果实",回家后与李清照相对"展玩、咀嚼"。北宋画家张择端以开封为背景的《清明上河图》，清楚地画有"集贤堂书铺"，门前有高悬的"兑客书坊"招牌来招揽顾客。总之，北宋时代的开封，确实已成为书籍流通的市场。

"靖康之难"使开封的城市与书市都被战火摧毁。南渡之后，出版业又逐渐复兴。特别是没有遭到战乱破坏的杭州、成都、建阳等地，迅速发展成为出版业的中心。作为"行在"的临安（今杭州），更变成一座人口众多、经济繁华的大都市。在杭州太学周围开设了一大批书肆，形成了生产、销售、再生产的循环模式，发展出巨大的销售市场，获得了丰厚的经济效益。南宋杭州较为有名的书铺，有棚北睦亲坊陈宅书籍铺、修文坊相对王八郎经籍铺、猫儿桥河东岸开笺纸马铺钟家、清河坊北街西面东双桂赵宅书籍铺、大隐坊等。

宋代书商刻书，并不都只为了追求经济效益。有的书商具有较高的文化素质，对书籍的选题、编辑、校勘、刻印、发行等方面都相当重视。一些书商更是学者与商人的结合，刊刻的书籍具有很高学术价值；还有一些书铺，延请有较高学术造诣的学者，参与图书的编辑与校勘，也出版了重要的学术书籍，同时为后世提供了珍贵的精校精刻本。

宋代已经出现了图书盗印的事件，这几乎是市场经济下不可避免的现象。朱熹就曾为他的《论语集注》被盗印而苦恼不堪。朱熹在建阳修改《论语集注》的时候，书稿就被书商获得，刻印发行。等朱熹觉察到的时候已经晚了，书稿中有些并非定本，有些说法不够妥当，可是书已经印了出来，犹如泼水难收，难怪朱熹懊忧不已。十年后，朱熹修改《四书集注》的时候，书稿又被建阳书商获得，再次被盗印，这让朱熹非常无奈。宋代虽然没有相关法律保护图书版权，但是一些书肆已经有了版权意识。在传世的宋刻本中，我们时而见到"版权所有""不许覆板"等字样，这可以看作书商出于自我保护、与盗版盗印作斗争的早期尝试。

明代统一全国后,实行偃武修文的政策,大力推动文化建设。明代出版行业的发展,与两宋时期出版业的发展势头一样,初期酝酿,中期萌发,到了后期,出版业空前繁荣。明代的商业刻书,与经济联系更为紧密,书商的商业嗅觉更加灵敏,往往是社会需要什么,书坊就刻什么,由此产生了许多新品种、新图书。

明代商业刻书主要集中在三大类通俗书籍:白话小说类、科举应试类、日常家用类,这与我们当下在各大超市、书店看到的畅销小说、教材试题、居家宝典之类的图书,是一样的。这三大类图书针对的主要是中下层读者,这类读者不仅人数众多,而且对图书的需求量颇大。这就要求书坊书商能够准确了解读者的需求,快速编纂刻印相应的书籍,全面占领市场。对于拿不准的图书,书商常常先刊行一部分进行试探,看看市场反应,再决定是否续刻同类图书。比如,天启(1621—1627)年间,苏州书坊天许斋主听说冯梦龙藏有许多单篇话本,就邀请他将其中精华部分挑选出来,编成《古今小说》(即《喻世明言》)。书上市后,大受读者欢迎,于是,书商继续和冯梦龙合作,接二连三印出了《警世通言》和《醒世恒言》,合称"三言"。苏州金阊尚文堂书商看到天许斋书坊大获成功,也想仿照这个方法来制作同类书籍,便向凌濛初约稿。于是凌濛初就编成了《拍案惊奇》《二刻拍案惊奇》。这便是后来广为流传的"三言二拍"。从商业刻书角度来说,这是书商与文人合作的成功典型,也是书商寻找题材、探索市场的生动例子。

许多书商热衷于刊刻这类需求量大的图书,只要刻一次版,就能多次印刷,省时省力,一劳永逸。以科举应试类书籍来说,凡要入仕做官的读书人,都必须经过科举考试,都要用到这类书籍。这类书籍中,前朝和本朝考试卷子的选评是最多的,这就相当我们今天的考试真题,当然要人手一份才行。我们尽可以用今天考试真题的出版,去类比明代试卷选评类书籍的刊刻发行。每年在旧书上增一份真题就变成新书的把戏,明代的书商已经玩透了。日常家用类图书的需求量也很大,常常把书版刷坏了,还一再印刷,旧的书版实在不能用了,才补版或再版重印。这些地方就暴露了书商唯利是图的心态。这类当时发行量很大的书籍,却很少能够流传下来。一般读者看过通俗读物,往往随手丢弃,科举应试类图书是敲门砖,门一敲开,砖头自然丢弃。门虽然没有敲开,过期失效的敲门砖也没有多少收藏价值。古代藏书家对这类图书根本没有兴趣。倒是在离明代越来越远的今天,我们会发现,这类商业出版书籍中保存了不少社会、经济、文化方面的文献,为研究当时的社会文化提供了原始资料。

明代出版业中,盗版与作伪的现象屡见不鲜。书商盗版,常常会隐去作者名姓,更换书名。更换后的书名,常常更能吸引读者的注意。例如杨慎的《丹铅总录》,被改为《纬略类编》,《北堂书钞》被改为《大唐类要》《古唐类苑》,甚至像《容斋随笔》这样名气很大的书也被改头换面,变成了《搜采异闻录》。这种做法导致大量书籍同书异名,扰乱了井然有序的书籍版本系统。作伪常常是假托名人,以扩大图书的影响力。比如《物类相感志》一书,托名"苏轼撰、赞宁编次",两位都是宋代名人,看似一本正经,实则大谬不然。赞宁是北宋初年的人,苏轼是北宋中期的人,让前人编辑后人的集子,荒唐之至。作伪手法这么拙劣,真是可笑之极。当时的名人也摆脱不了被书商利用,如李贽、袁宏道、冯梦龙、陈继儒等人,在当时都很有知名度,不免被书商盗名,成为一部横空出世、杂乱拼凑的通俗读物的作者。读者不明真相,往往受到蒙骗。盗版与作伪不仅危害了读者,还搅乱了出版市场,祸及正规书商的利益。于是,自我保护的手法纷纷出现。最常用的做法,就在是出版图书上印上标记、牌记、告白、印章之类,相当于防伪标识或者版权声明。我们今日常见的"版权所有,翻印必究"之类的用语,就来自明代的版权声明,一直沿用了数百年。

清代的出版业发展趋势与宋明不同,前期低沉,中期繁荣,后期由于新兴出版业的崛起,宋明以来的雕版印刷业转眼成为"传统出版业",逐渐走向没落。清初,由于战乱的破坏,文字狱的震慑,民间出版业大受压制。到了乾隆年间,清朝统治日益巩固,文化政策逐渐开放,商业刻书再度勃兴,不仅在刻书的规模、地域上超越明代,书籍的内容也比明代丰富,小说戏剧类书籍的出版成为时尚。这时期的商业刻书形成了南北两个中心,北方的出版中心是北京,南方的出版中心在苏州。

清代的北京是全国的政治中心,商业刻书繁荣发展,书铺林立。琉璃厂在乾隆年间就已经成为书市,四方而来的举子,朝野上下的文人,常常到这儿看书或买书,这里被他们当成消遣休闲之地,书商因此获利颇丰。据当时人的记载,琉璃厂在乾隆时候就聚集了 30 家书肆。其中著名的有五柳居、文萃堂、老二酉堂、聚珍堂等,然而,这还不能完全满足消费者的需要。在各地举子齐聚京师参加进士考试的年份,书肆的图书常常供不应求,特别是与科举考试相关的图书。为此,北京的书肆常常要从苏州等地长途调运书籍,以填补巨大的市场空缺。与此同时,各地书商也乘机蜂拥而来,搭建书棚,销售书籍。一时书市之盛,只有苏州可与之比拟。

在清代,苏州是江苏巡抚的驻地,又处于文化发达的江南地区的心腹。政治地位和区位优势,促进了苏州图书市场的发达，众多藏书家、书商、出版商云集苏州，更为出版业的兴盛提供了条件。叶德辉在《书林清话·吴门书坊之盛衰》中说苏州"书肆之盛，比于京师"。当时著名的书坊，有席氏扫叶山房、书业堂、聚文堂等。席氏扫叶山房最初以刻印史书为主，乾隆时刊行了《东都事略》《契丹国志》《大金国志》《元史类编》，嘉庆时又刊刻了《南宋书》《唐六典》《东观汉记》《吴越备史》等。扫叶山房刻书，力图与一般书坊的刻书有所区别，史书常以秘本校正，追求完善。发展到同光年间，扫叶山房的刻书更为齐备，四部齐全，形式各异，数量更大，行销全国。最被人们喜爱的有《毛声山评点绣像金批第一才子书三国演义》《绣像评点封神榜全传》《千家诗》《龙文鞭影》《童蒙四字经》等。这些通俗读物，刻印清晰，质量上乘，摆脱了明代以来书坊刻印通俗读物的作风，为扫叶山房赢取了更大的名声。苏州出版业的繁盛，带动了周边地区商业刻书的发展，促使江南地区出现了很多定期的图书交易市场。书市开张之日，天下书商云集，各种图书琳琅满目，令读者目不暇接。

清代商业刻书也无法摆脱盗版和作伪的困扰。特别是畅销的名人著作，更是盗印不断。比如袁枚的《随园诗话》《小仓山房尺牍》出版后，一时风行，翻印本也层出不穷。等他的个人文集刻印出版的时候，"上至公卿，下至市井负贩，皆知其名"，甚至"海外琉球有来求其书者"。书坊从中看到商机，很快跟进盗印。纪昀的《阅微草堂笔记》问世后，也盗印不断，翻刻众多，讹误不胜枚举。蒲松龄《聊斋志异》刊行以后，风行天下，翻刻本竞相问世。盗版书籍众多，弊端丛生，对作品文本的传播虽然不一定都是好处，对作者名声的传播却是不无好处的。

# 原典选读

## ［唐］元稹《白氏长庆集序》（节选）

予始与乐天同校秘书之名，多以诗章相赠答。会予遣掾江陵，乐天犹在翰林，寄予百韵律诗及杂体，前后数十章。是后，各佐江、通，复相酬寄。巴蜀江楚间泊长安中少年，递相仿效，竞作新词，自谓为"元和诗"。而乐天《秦中吟》、《贺雨》讽谕等篇，时人罕能知者。然而二十年间，禁省、观寺、邮候墙壁之上无不书，王公妾妇、牛童马走之口无不道。至于缮写模勒，衒卖于市井，或持之以交酒茗者，处处皆是。（原注：杨、越间多作书模勒乐天及予杂诗，卖于市肆之中也。）其甚者，有至于盗窃名姓，苟求是售，杂乱间厕，无可奈何！予尝于平水市中，（原注：镜湖傍草市名。）见村校诸童竞习诗，召而问之，皆对曰："先生教我乐天、微之诗。"固亦不知予之为微之也。又云鸡林贾人求市颇切，自云："本国宰相每以百金换一篇。其甚伪者，宰相辄能辨别之。"自篇章已来，未有如是流传之广者。

## ［宋］苏轼《李氏山房藏书记》（节选）

自秦、汉以来，作者益众，纸与字画日趋于简便，而书益多，世莫不有，然学者益以苟简，何哉？余犹及见老儒先生，自言其少时，欲求《史记》、《汉书》而不可得，幸而得之，皆手自书，日夜诵读，惟恐不及。近岁市人转相摹刻，诸子百家之书，日传万纸，学者之于书，多且易致如此，其文词学术，当倍蓰于昔人，而后生科举之士，皆束书不观，游谈无根，此又何也？

## [宋]沈括《梦溪笔谈》卷十八(节选)

板印书籍,唐人尚未盛为之,自冯瀛王始印《五经》,已后典籍,皆为板本。庆历中,有布衣毕昇,又为活板。其法用胶泥刻字,薄如钱唇,每字为一印,火烧令坚。先设一铁板,其上以松脂、腊和纸灰之类冒之。欲印则以一铁范置铁板上,乃密布字印。满铁范为一板,持就火炀之,药稍熔,则以一平板按其面,则字平如砥。若止印三、二本,未为简易;若印数十百千本,则极为神速。常作二铁板,一板印刷,一板已自布字。此印者才毕,则第二板已具。更互用之,瞬息可就。每一字皆有数印,如"之"、"也"等字,每字有二十余印,以备一板内有重复者。不用则以纸贴之,每韵为一贴,木格贮之。有奇字素无备者,旋刻之,以草火烧,瞬息可成。不以木为之者,木理有疏密,沾水则高下不平,兼与药相粘,不可取。不若燔土,用讫再火令药熔,以手拂之,其印自落,殊不沾污。昇死,其印为于群从所得,至今宝藏。

## [宋]叶梦得《石林燕语》卷八(节选)

唐以前,凡书籍皆写本,未有模印之法,人以藏书为贵。人不多有,而藏者精于雠对,故往往皆有善本。学者以传录之艰,故其诵读亦精详。五代时,冯道奏请官镂《六经》板印行。国朝淳化中,复以《史记》、前后《汉》付有司摹印,自是书籍刊镂者益多,士大夫不复以藏书为意。学者易于得书,其诵读亦因灭裂,然板本初不是正,不无讹误。世既一以板本为正,而藏本日亡,其讹谬者遂不可正,甚可惜也。余襄公靖为秘书丞,尝言《前汉书》本谬甚,诏与王原叔同取秘阁古本参校,遂为《刊误》三十卷。其后刘原父兄弟,《两汉》皆有刊误。余在许昌得宋景文用监本手校《西汉》一部,末题用十三本校,中间有脱两行者,惜乎,今亡之矣。

世言雕板印书始冯道,此不然,但监本《五经》板,道为之尔。《柳玭家训·序》,言其在蜀时,尝阅书肆,云"字书、小学,率雕板印纸",则唐固有之矣,但恐不如今之工。今天下印书,以杭州为上,蜀本次之,福建最下。京师比岁印板,殆不减杭州,但纸不佳;蜀与福建多以柔木刻之,取其易成而速售,故不能工;福建本几遍天下,正以其易成故也。

## ［宋］陆游《老学庵笔记》卷七（节选）

三舍法行时,有教官出《易》义题云:"乾为金,坤又为金,何也?"诸生乃怀监本《易》至帘前请云:"题有疑,请问。"教官作色曰:"经义岂当上请?"诸生曰:"若公试,固不敢。今乃私试,恐无害。"教官乃为讲解大概。诸生徐出监本,复请曰:"先生恐是看了麻沙本。若监本,则坤为釜也。"教授皇恐,乃谢曰:"某当罚。"即输罚,改题而止。然其后亦至通显。

## ［清］陈其元《庸闲斋笔记》卷八（节选）

今人重宋板书,不惜以千金、数百金购得一部,则什袭藏之,不特不轻示人,即自己亦不忍数翻阅也。余每窃笑其痴。昆山令王鼎臣刺史定安,酷有是癖,尝买得宋椠《孟子》,举以夸余。余请一睹,则先负一椟出,椟启,中藏一楠木匣。开匣,乃见书。书纸、墨亦古。所刊字画,究无异于今之监本。余问之曰:"读此可增长知慧乎?"曰:"不能。""可较别本多记数行乎?"曰:"亦不能。"余笑曰:"然则不如仍读我监本,何必费百倍之钱购此也!"王恚曰:"君非解人,不可共君赏鉴。"急收弃之。余大笑去。

# 古书的装帧、版式与阅读

　　从甲骨到金石，从简帛到纸张，书写材料的变化推动书籍形式的更新。从契刻到抄写，从拓印到雕版，制作技术的改进推动了书籍文化的日益丰富发展。从简帛时期的篇卷，到纸本时代的册页，古书装帧版式变化多样，越来越讲究，既讲究实用，又讲究美观。不同时代的人们，面对不同形式的书籍，阅读方式也不一样。而阅读方式的改变，又转而促进了书籍装帧和版式的变化。书为人变，人随书变，人书互动，不仅改变着古书的装帧版式与阅读，也使古书身上沾染了更多人情味，使古代社会增添了更多书卷气。

# 古书的装帧

　　关于古代书籍的装帧形式,钱存训在《书于竹帛》中说道:"中国书籍的形式,始于竹简的应用,继以帛书、木牍和纸卷。简牍的长度,一般依文书的内容和功用为准,阔度则通常狭窄,只能直书一行,书写后用书绳编连,可以卷起,也可以折叠,正如今日书籍的册页。"古书的装帧形式与书籍的物质载体、书籍的内容有着密切的联系。不同的书写材料或物质载体,往往形成不一样的装帧方式;书写内容的不同,也会影响书籍的装帧形式。如果说前者是硬件的因素,那么后者就是软件的因素。

　　殷商人收藏占卜刻字的甲骨片的时候,是否有将多片串联并置的要求和相关的技术,我们今天不得而知。可以确定的是,到了简牍的时代,已经有了某种"装帧"的需求。简策书也可以写作简册书,是由一支一支竹简连缀编排并系以书绳而成。竹简可以先书写,然后再系绳成册,也可以先系绳成册,然后再施加笔墨。书写与系绳的先后,往往会造成竹简书写与阅读方式的不同。书写在前的话,竹简上的文字一般都整齐划一,而某些文字则有可能被编绳所遮盖,造成阅读时的不便。如 1930 年出土的居延汉简中,有《永元器物博》一书,是用两道麻绳编连起来的,出土时还有残存的麻绳,遮住了一些文字,这很明显是先写后编的。而编绳在前的话,绳子会影响到书写的流畅。于是,人们在书写的时候往往会在编有绳子的位置空下一格,借此规避或减少绳子对书写的阻碍。但是,经验老到的书写者,也有可能在编绳之前,自觉地在编绳位置处留下空格,以便在书写完成之后编绳时不会影响到文字。采用这种方式,可以提前排除阅读的障碍,但同时也给后人辨别书写与编绳的先后带来了困难。如武威汉简《仪礼》简上编绳之处,均有一格空白,是为避让绳子所致,钱存训认为这是先编后写的明证,但也有学者认为是在书写之时有意识地留下的空格,以便书写完毕后编绳。

用来编连竹简的绳子,一般是丝绦、麻绳、皮条之类,材质细韧者为上。司马迁的《史记·孔子世家》记载,孔子晚年喜欢读《易》,爱不释手,以至于"韦编三绝"。"韦编"就是用熟牛皮绳把竹简编连起来,孔子翻来覆去地读,连比较结实的牛皮绳都断了。一般来说,士大夫阶层多用熟牛皮来装订竹简,而王室贵族多用有颜色的丝绳。西汉刘向的《别录》中记载,在《孙子》一书整理完成后,"书以杀青简,编以缥丝绳"。刘向为皇室宫廷整理图书,所以才会用缥丝绳。丝绳的颜色也有讲究,《孙子》用的缥丝绳是淡青色,其他书如《穆天子传》用素丝纶,《考工记》用青丝绳,都有各自的选择与特色。在出土的大量竹简中,基本上都是用麻绳、丝线等编连而成。

书绳虽能连接竹简于一时,但由于不断翻阅与长年储藏,极易散断,特别是历经千年以后重现于世的竹简书,书绳基本上腐蚀不存。面对散乱的竹简,如何恢复当年的编排次序,是现代学者不可回避的一个挑战。除了参考竹简的长度、宽度、版式以及内容、字体、字符间距等因素进行排比整理,还可以根据书简的编号或者竹简背面的划痕来判断。在清华简中,一部分竹简下端或背面写有编号,这些编号犹如图书的页码,为重新编排竹简提供了方便。另一部分竹简的背面,还出现了有规律性的斜线划痕,这些划痕很可能是在竹简编连之前,人们为了竹简排序而刻划的特殊标记。从编号与划痕中可以看出,简牍时代的人们为了避免错简,也就是避免竹简次序的淆乱,煞费苦心。竹简编号的方式,如同后来线装书的页码一样,为图书的装帧与读者的阅读提供了极大的便利。

在一册竹简编完之后,通常还会留有多余的书绳,这部分绳子可以用来捆扎竹简。编连好的竹简书,可以称为“策”或“册”。“册”字是一个象形字,形同编串起来的竹简,所以我们会把连缀编排好的竹简称为一册。在阅读和储藏中,竹简可以任意舒卷,因此一册又可以称为一卷。在简牍时期,一卷常常只有一篇文章,所以一卷书也就等同于一篇文章。有时候,一篇文章太长,一卷书容纳不下,就要分为多册竹简,两册的称为上下卷,三册的称为上中下卷,等等。也有的时候,一篇文章太短,占用不了一册竹简的篇幅,古人就把多篇短小的文章书写于一卷书中。这样一种灵活处理,是为了充分利用竹简,也是为了提供足够的阅读内容。

“篇”与“卷”都可用来指称竹简书。但是,随着帛书的出现,这两个字的内涵发生了微妙的变化。帛书通常是一整块丝帛,不像竹简一样必须编连起来,也就省去了编绳的麻烦。帛书可以像竹简书那样自由舒卷,也可以如后世的经折装书一样折叠。为了区别竹简书与帛书,人们就将"篇"用来指称竹简书,而"卷"用来指称帛书。从西汉刘向、刘歆父子著录的图书,到东汉班固《汉书·艺文志》著录的图书,就有篇和卷两种名目。章学诚在《文史通义》中指出,两者的区别在于"篇从竹简,卷从缣帛,因物定名,无他义也"。也就是说,篇和卷的区别,仅仅在于图书的物质载体不同,并没有其他深意。但是,也有人认为,其实汉代就有篇卷混用的情况,并不能说篇的载体一定是竹简,卷的载体一定是丝帛。

为了保护简帛,同时也为了将同一种书放置于一起,不至于错乱,人们常常将书装到"帙"或"囊"之中。"帙"或"囊"就是由丝织品做成的袋子,《说文解字》中把"帙"解释为"书衣",看重的就是帙对书的保护作用。"帙"也可以像篇、卷一样作量词来使用,但是,一帙可以指一部书,也可指 5 卷或 10 卷书,视具体情况而定,并不那么确定。一般而言,"帙"比"卷"要大,所以后人常常用"卷帙浩繁"来形容书籍篇幅之大。帛书的材料是丝织品,更容易损坏,时间长了,也容易朽蠹。为了便于保存,人们常常将帛书置于长方形的漆盒之中,用时再取出,用后即放回。用盒子来保护书籍,是书籍史上的第一次,后来产生的保护线装书的函套,也从这里得到了灵感与启发。

纸张取代简帛成为书写的主要材料之后,不仅改变了书籍的物质载体,也带来了新的装帧方式。首先出现的是卷轴装(插图七),也称为卷子装。将一页一页纸粘成长幅,以圆木棍等作轴,粘于长幅的左端,以此作为轴心,自左到右卷成一卷,即为卷轴装书。有时候,简单的书籍不需要轴棍,也可以直接舒卷,称为"卷子装"。卷轴装始于汉代,主要运用于魏晋南北朝至隋唐时期,这与纸张的大量应用于书写密切相关,但仍存有简帛书装帧的遗风。大量敦煌遗书属于这样形制,所以被称为"敦煌卷子"。

卷轴装除有卷、轴以外,一般还具有褾、带、帙、签。褾是指卷轴正面四边所裱饰的纸张或丝织物,主要用来保护书籍内页,也有装饰的功能。纸张粘连成一体,经常舒卷开合,纸张边缘容易受损,于是人们在卷子的左右两端贴上空白的纸张或丝织物,起到保护书籍内页的作用,就类似于后来书籍的空白衬页。也有些卷轴装直接在卷子前后留下一段空白的纸张不书写,这就更近似于衬页了。在卷子的前端中间系上一个丝带,用来捆扎卷子,这就是"带"。一部书如果有多卷的话,就需要用帙包裹起来。为了区别不同的书籍,卷轴上常常系有"签"。签是一块小木牌或竹牌,标明书籍的名称、卷次等,露在帙外面,便于查找书籍,如同今日图书馆书脊上的标签一样。纸张普及以后,签就慢慢变成纸质的签条了。

卷子的形式与简帛书很类似,卷、轴、褾、带、帙、签基本上是沿袭简帛书的装帧。不过,人们对于卷轴装颇为重视,史书中有不少记载。如《隋书·经籍志》记载隋代的情形时说,隋炀帝即位之后,整理、抄写、装潢秘阁图书,并将图书分为上中下三个等级,以不同的卷轴装饰:上品用红琉璃轴,中品用绀琉璃轴,下品用漆轴。《旧唐书·经籍志》记录了唐时内府藏书的装帧:唐开元时,甲乙丙丁四部书各为一库,设置知书官八人分别掌管。凡内府收藏的四部库书,首都长安和东都洛阳各一本,一共 125 960 卷,图书都用益州麻纸书写。存放于集贤院的御书,经库用钿白牙轴,黄缥带,红牙签;史库用钿青牙轴,缥带,绿牙签;子库用雕紫檀轴,紫带,碧牙签;集库用绿牙轴,朱带,白牙签;以此来区别不同类别的图书。通过不同颜色的轴带签,可以找到不同类别的书籍,通过具体的签,又方便检索到具体的卷次。差异性的装帧风格,成为隋唐时代宫廷管理与使用藏书的一种方式。

宫廷藏书装帧追求齐整统一,精美华丽,民间图书更多以实用为目的。曾经窃取敦煌经卷的斯坦因,在《敦煌取书记》中记载了他所带走的敦煌古卷的面貌:"皆系卷叠圆筒,高约九寸半至十寸半,都是佛经的汉译写本或古文书。很平软的黄色卷子,外裹以丝织物,甚是柔韧。卷中插以小木轴,间有饰以雕饰者,轴端或系以结。纸张长度各有不同,故卷轴之形式亦各异,大约每张之长,自十五至二十寸。书写时则每张连接而成一卷,至文字终结为止,故展而阅之,延引颇长。"从中可见民间图书装帧风貌之一斑。卷轴装书籍流行于魏晋南北朝及隋唐时期,虽然盛极一时,但是缺点也不少。短的卷轴打开或者卷起并不困难,长卷就比较麻烦,有时为了查阅最后一页,就必须将整个卷子打开,颇为不便,况且时间久了,卷轴也容易折断。卷轴装为此而被人诟病,于是,一场书籍装帧形式的变革悄然而生。

大概在唐时,旋风装应运而生。如果把卷轴装看作是简帛书与线装书之间的一种过渡形式,那么,旋风装就可以看作是卷轴装到册页装之间存在的特殊形式。旋风装书籍别具一格,存世数量极少,因此被视为古籍装帧中的另类,历代学者对它有不同的看法。在《中国古代书籍史》中,李致忠以故宫博物院所藏《唐写本王仁昫刊谬补缺切韵》一书为例,详细介绍旋风装这种装帧方式:"全书共有五卷,凡二十四叶。除首叶是单面书写外,其余二十三叶均为双面书写,所以共有四十七面。……其装帧方式,是以一比书叶略宽的长条纸作底,除首叶因系单面书写,全幅裱于底纸右端之外,其余

插图十:《唐写本王仁呴刊谬补缺切韵》5 卷

说明:旋风装。纸高 25.5 厘米,长 47.8 厘米。现藏故宫博物院。

图片来源:《第一批国家珍贵古籍名录图录》

二十三叶因均系双面书写,故以每叶右边无字空条处,逐叶向左鳞次相错地粘裱在首叶末尾的底纸上,看去错落相积,好似龙鳞。收藏时从首向尾卷起,外表仍是卷轴的形式,但打开来翻阅,除首叶全褾于底纸上,不能翻动外,其余均能跟阅览现代书籍一样,逐叶翻转。这种装帧形式,既保留了卷轴装的外壳,又满足了翻检必须方便的要求,可谓独具风格,世所罕见。古人把这种装帧形式称为'龙鳞装'或'旋风装'。"

旋风装是为了解决卷轴装尤其是长卷翻检不便的难题,而发明的一种独特装帧方式。这种方式通过将纸张双面书写,大大缩短了卷子的长度,也为检阅提供了更多的便利,特别是像《切韵》这样随时翻检的工具类书籍,更需要快速方便地查阅。所以,将旋风装应用于类书《切韵》是有道理的。北宋欧阳修在《归田录》中即指出,旋风装对于查阅文字多有便利。他说:"凡文字有备查用者,卷轴难数卷舒,故以叶子写之。"当时流行的一些韵书和类书,就多使用旋风装。南宋张邦基在《墨庄漫录》中也有记载:"今世间所传《唐韵》犹有,皆旋风叶。"直到清初,藏书家钱曾还见过唐代吴彩鸾所写的《唐韵》,装帧方式还是"旋风叶",不过,那时候大多数人对此种装帧已经不甚了了。

自旋风装开始,"叶子"的概念被引入到书籍装帧之中。叶子,也可称为页子或册页,是完全不同于卷轴装的书籍形态。自此之后,卷轴装逐渐退出了书籍装帧舞台,而转战书画装裱市场,开辟了另外一片大有作为的广阔天地。册页成为书籍装帧的主流,唐以后的蝴蝶装、包背装、线装书籍都是册页形态。

旋风装并没有普遍流行,与此同时,另一种装帧方式——经折装更受到人们的认同。经折装首先应用于佛经,又因其改变了卷子形态,将纸张折叠起来,成为一叠较厚的纸书,故而被称为经折装。在纸张两端各加上一块比较硬的纸张或木板,来保护书籍内页,如同今日书籍的封面。佛教在唐代非常流行,雕版印刷术也开始在佛经典籍中得到应用,经折装的佛教典籍也非常多。敦煌藏经洞就有这样的书籍。斯坦因在《敦煌取书记》中谈到他发现的一册经折装佛经,"书非卷子本,而为折叠而成,盖此种形式之第一部也",这种"折叠本书籍,长幅接联不断,加以折叠,最后将其文一端悉行粘稳。于是展开之后,甚似近世书籍"。这本佛经虽然"印刷简陋",但正好反映了书籍从旧的装帧形式向新的装帧形式转移的痕迹,很有价值。经折装还推广使用于其他书籍,成为卷轴装之后一种相当流行的书籍装帧方式。989年,阿拉伯作家伊斯哈格写过这样一段话:"中国人把宗教经文与学术著作,抄写在许多张纸上,展页时宛如折扇开屏。"他所说的应该就是经折装。直至现代社会,经折装依然是佛教典籍采用的书籍装帧方式之一。

旋风装虽然没有改变卷轴形态,却将卷轴装中彼此相连的纸张变为各自独立的书页,这是书籍装帧史上的一大进步。经折装并没有跳出卷轴装纸张相连的束缚,却改变了卷轴形态,更便于人们的阅读与查检,同样是书籍装帧史上的一大进步。旋风装与经折装,都致力于改善卷轴装的不足,两者的优点被后来的书籍装帧吸取,使得书籍装帧方式趋向成熟。

经折装之后,出现了蝴蝶装。这是中国古代书籍装帧迈向成熟阶段的重要一步。这种装帧对后世发展出来的包背装、线装,甚至是现代书籍的装帧都产生了重大影响。经折装书籍由于折叠纸张,在长时间的翻检与阅读中,很容易断裂成一页一页的,既不便于阅读,也不利于长期保存。如何将这一页一页的纸张粘聚起来而不散乱,这成为人们关注的问题。于是被称为"粘页书"的蝴蝶装书籍应运而生。这是继旋风装书之后，册页在书籍中的再一次应用。如果说旋风装是册页书的初期形态，那么，蝴蝶装就可以说是册页书的中期形态。

蝴蝶装是随着雕版印刷术的发明而产生的，因为雕版印刷品都是一张一张的单页，无论是旋风装还是经折装都无法适应册页的需求，于是蝴蝶装取而代之，在宋代风靡一时。雕版印刷好的单页，需要将印有文字的纸面向页内对折，版心向内，单边向外，然后将每一书页背面的中缝粘在一张裹背纸上，再用一张硬厚整纸对折粘于书脊，作为封面，之后再将上下左三边切齐，一本蝴蝶装书就完成了。阅读时，打开书页，犹如展翅而飞的蝴蝶，所以被形象地命名为蝴蝶装。叶德辉在《书林清话》中说过，"蝴蝶装者不用线订，但以糊粘书背，夹以坚硬护面"，这种创新的装帧方式，不仅有利于保护书籍内页，更方便了人们的阅读与储藏。因此，不少人认为蝴蝶装要比线装书更为实用。首先，蝴蝶装书页是糊贴起来的，没有线装的穿孔，便于改装。其次，蝴蝶装版心向内，可以使版面中间无缝连接，不让一张完整的图画分散于两面，较好地解决了版面图像连续呈现的问题。再次，蝴蝶装单边向外，不易损坏，即使边角有污损，也可以裁去，甚至可以补缀，不至于影响书页上的文字内容。宋代人王洙曾在《谈录》中比较蝴蝶装与线装的优劣，也认为蝴蝶装更好，即使时间久远，册页脱烂，也比较容易重装，相比之下，线装书就不那么容易了。他手里有几册线装的汉代董仲舒的《春秋繁露》一书，册页"错乱颠倒"，费了好多工夫才将其排定次序，重新装好。因此，宋元书籍多采用蝴蝶装，《明史·艺文志》中说："秘阁书籍皆宋元所遗，无不精美。装用倒折，四周外向，虫鼠不易损。"这里所说的"倒折装",就是蝴蝶装。蝴蝶装在后世受到肯定和赞扬,也与宋人对制作图书精益求精的态度有关。清代藏书家孙庆增在《藏书纪要》中对宋人制作图书作过细致的描述,无论是蝴蝶装还是线装,宋人都比明清人更为重视,更为用心,在每个方面都追求完美。明清人在这一方面是不及宋代人的。

大部分蝴蝶装的宋元版图书都经过明清藏书家之手,改装成了包背装或线装,存至今日的蝴蝶装宋元版书已十分稀少。这里就不得不提蝴蝶装的一些缺陷。蝴蝶装书页是单面印刷,翻阅图书时,往往每隔一页就会有空白页,很不便于阅读。另外,蝴蝶装书版心向内,不便线装,只能糊粘,一旦浆糊选用不当,或者纸张粘贴不牢靠,很容易造成书页的脱落。于是包背装在南宋后期应运而生,并在元代得到发展,明代达到极盛,清代仍然颇为盛行。这种装帧方式克服了蝴蝶装书籍的缺陷,使得古代书籍装帧更趋完美。

包背装是将书页正折,版心朝外,正好与书页反折、版心朝内的蝴蝶装相反。然后以书口版心为准对齐,将书页左右两边的余幅作为书脊,粘在书背上,再裹上硬书皮,上下切齐,就成了一本包背装书。这是早期的包背装,还存有蝴蝶装糊粘的做法。发展到后来,糊粘的做法逐渐被淘汰,而改为在书页右边打眼,以纸捻钉住,然后再包背,加以封面。相对蝴蝶装而言,包背装最大的革新在书页折叠方式与包背上,所以被称为"包背装"。这种装帧方式和今日流行的平装书颇为相似。包背装在明清影响甚大,明代的《永乐大典》、清代的《四库全书》都采用了这种装帧方式。

线装书是中国古代书籍装帧的最后一种形式,也是最为成熟的一种形式。它不仅一改之前装帧形式的众多缺点,达到了尽善尽美的境界,还体现了中国古代书籍文化的丰富内涵,具有鲜明的中国文化特色。线装书起源很早,在唐五代时就已出现,但并没有得到广泛运用,随着装帧技术的改良与革新,至明代中期以后,开始得到人们的重视。到了清代,线装更受到世人的喜爱,成为当时绝大多数书籍的装帧方式,线装书的鼎盛时代随之到来。

线装与包背装的不同之处在于:线装不采用包背的方式,而是直接在书脑处打眼穿线,装订成册,这就是线装书。为了使得线装更加结实牢固,对于线的材质和装订的方法都有讲究。孙庆增在《藏书纪要》里说:"订书用清水白绢线双根订结,要订得牢,嵌得深,方能不脱而紧。"根据书籍的长度,常用四眼、六眼、八眼等不同的订眼法。一些比较讲究的书籍,还得用绫绢包角,保护书角不被磨损。线装书的封面用纸颇为柔软,一般采用深蓝色的纸张,在封面左边签写书名,显得简单古朴,风格典雅。《藏书纪要》又说,装订书籍的关键,不是追求外观的华美,而是要着眼于护书有道,"款式古雅,厚薄得宜,精致端正,方为第一"。可以说,线装书将中国古代书籍的古雅端庄发挥到了极致。现存绝大部分雕版印刷书籍都是线装,可见线装书作为完美的图书装帧形式,已经融入了中国传统文化,成为中国书籍文化中最具魅力的一部分。

# 古书的版式

　　古书的版式随着书籍装帧形式的改变而改变,不同的装帧方式对应着不同的版式。不过总体说来,这种变化并不是很大。在长期的历史演进中,古书版式逐渐变革与完善,最终在线装书鼎盛之时形成定式。为了方便追根溯源,我们先来了解一下线装书单页的版式。

　　线装书是由一页一页单页构成的,每个单页的版式基本一致。每一个单页上印版所占有的面积叫做版面。版面上方的空白叫天头,下方的空白叫地脚。天头和地脚可以合称为"天地头"。为了美观,天头一般都比地脚的面积要大。每一个版面通常由板框、边栏、界行、版心、鱼尾、象鼻等部分构成。

　　版面四周叫板框,板框的边线叫边栏。上边的边栏叫上栏,下边的边栏叫下栏,左边的边栏叫左栏,右边的边栏叫右栏。四周为单线的叫四周单栏,双线的叫四周双栏,上下为单线而左右为双线的叫左右双栏。划分版面的直线叫界,两条直线之间的部分叫行。在描述一书版面的时候,常常会说每页有多少行,每行有多少字。有时候也会说半页多少行,每行多少字。还有些时候,"半页"二字会被省去,具体是半页还是一整页,要根据具体情况而定。这样"几行几字"被称为行格。行格对判断古书的基本情况很重要,知道具体行格,就会对版面情况有大致的了解。

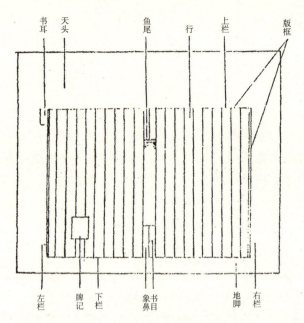

（图片来自程千帆、徐有富著《校雠广义·版本编》）

在版面的中间不刻写文字的一行，叫作版心，也就是书口。鱼尾、象鼻都在书口上。版心刻有"▄▀"符号，因其形状而被称为鱼尾。刻有一个鱼尾的叫单鱼尾，刻有两个鱼尾的叫双鱼尾。有些鱼尾成花瓣形状，可称为花鱼尾。在鱼尾与边栏之间，有时会印有黑线，黑线细窄的叫小黑口，黑线粗阔的叫大黑口，没有黑线的叫白口。黑线在版心上方叫上黑口，在下方叫下黑口，上下方都有叫上下黑口。有时，版心上下还会刻有两道横线，在上下横线与上下边栏之间会形成上下各一块空白，这空白叫象鼻。象鼻中往往刻有书名、刻工名或者该页字数等与书页相关的内容。有些线装书在某些书页，如序目页、卷末页、书末页或者其他空白页，会刻出版单位的名称、出版时间、广告等，这些都统称为牌记。

牌记，相当于今日图书的版权页，内容十分丰富。宋代刻本中,牌记多记录刻书人的姓名、堂号或坊字号、出版时间等,一般置于书籍的末页。如福建蔡琪刻本《汉书集注》,牌记为"建安蔡纯父刻梓于家塾",标明了刻书人的姓氏及籍贯。建安黄善夫刻本《史记》三家注(《集解》《索隐》《正义》)、《后汉书注》《王状元集百家注分类东坡先生诗》,牌记均为"建安黄善夫刊于家塾之敬堂",标明了刻书人的姓氏、籍贯及堂名。临安陈宅书籍铺刻本《唐女郎鱼玄机诗》,牌记为"临安府棚北睦亲坊南陈宅书籍铺印"。将书铺的具体地址刻于牌记上,可方便读者前往购买。除了这种简单的标记,有些牌记还记录了更多的信息。如临安府荣六郎刻本《抱朴子内篇》,牌记为"旧日东京大相国寺东荣六郎家,见寄居临安府中瓦南街东,开印输经史书籍铺,今将京师旧本《抱朴子内篇》校正刊行,的无一字差讹,请四方收书好事君子幸赐藻鉴,绍兴壬申岁六月旦日"。不仅标示了刊刻的时间、地址、刻书人,记录了两宋之际荣六郎书铺从开封迁往杭州的历史,还将所刻书籍的版本来源、刻书质量交代得一清二楚,在当时具有广告效应,对后代则有历史价值。除此以外,还有长达几百字的牌记,洋洋洒洒,格外引人注目。总的来看,牌记的功能大体有二:一是维护版权,牌记中常有"不许覆板""版权所有"的字样,这说明出版商已经开始注重版权的问题;二是广告促销,牌记中标示书铺具体地点,或者强调书籍版本和刊校质量,都是为了吸引读者前去购买而做的广告宣传。明清时期,牌记格外强化版权宣示的功能,"不许翻刻""敢有翻刻必究""翻刻千里必究"等各种标语大量出现,版权意识更强,维权也更为自觉。

了解了线装书的版式,基本上也就对古书版式上的术语有所认识,这样就可以上溯简帛,追踪古书版式的源流变化。

书籍之初,一切都在摸索阶段,似乎没有版式可言,更没有相关术语。简帛书一开始并没有统一的版式规范,在人们书写与阅读的过程中,产生了各不相同的版式,显得简单而自然,别有一番风趣。比如一根一根相连的竹简,就是天然的界行,文字从上至下书写,显得挺直而整齐。因此,整卷书籍的版面,就是一条一条立体的竖痕,既工整而又富有动感,也形成了简洁美观的版式。在某些情况下,编绳就会成为一册书的上下边栏。如果简册扎有两道书绳,有的简从上编绳开始写,到下编绳为止,这时书籍内容就占据简册的中间一栏,而上下栏就成了天头与地脚。有的简从上部开始写,一直写到末端,占据三栏,这样就没有了天头和地脚。每部简册都有各自的写法,我们每翻阅一卷书简,都会面对不同的版式,千差万别的版式,使得简册书版面错落有致,看起来巧妙天成,又像经过了精心的设计。

从帛书开始,书写开始注重界行。因为帛书是一整块,没有竹简自然形成的界行,人们为了直行书写不扭曲,就开始在帛书上用朱砂画好上下边栏、界行,这样就形成了白底、黑字、朱栏的格局,朱墨灿烂,悦目美观。这样的版式与后来蝴蝶装、线装书的版式已经十分类似,只不过没有后者规范精致而已。

卷轴装的版式受到简帛书的版式影响较大。随着卷轴装的普及,版式也越来越向后来册页书的版式靠近。这时的界行依然很重要,不过不像帛书那样用朱砂,而改用墨或铅,在纸上画直行,唐朝人称之为"边框",宋朝人称为"界行"。现存的唐宋抄本,栏线、界行已经相当明显,也逐渐有了天头、地脚的意识。

雕版印刷术使用以后,书籍的版式与雕版有着密切的联系。比如白口和黑口,其实就是书口处的书板是否剜剔下去的问题。只要剜剔下去,书口就刷不着墨,刷出来的书口就是白的,就形成了白口。如果不剜剔下去,刷墨时书口自然着墨,印出来的就是黑口。随着雕版的发展完善,版式发展也日益合理。在雕版印制的经折装书上,栏线、界行已经广泛使用,而书籍的上下端也有意识地空缺下来,形成天头、地脚,并发展为天头面积比地脚面积大的布局。这种布局是符合视觉审美要求的。

雕版印刷术影响下的蝴蝶装书版式已经非常成熟,对后世书籍的制作影响极大。古书版式的各种术语在这个时候已经形成。这里我们提一下蝴蝶装与线装版式上的一个小小差别。蝴蝶装书由于版心朝内,左右边栏朝外,人们为了翻检方便,便在左边栏或右边栏外上角,刻一个长方形的格子,称为书耳,也称为耳格。左边栏上的书耳称为左书耳,右边栏上的书耳称为右书耳。书耳内可以写上书名或者篇名,人们读书时,只要翻阅书耳,就能确知篇章名称,方便了阅读和翻检。线装书一般没有书耳,这是因为书耳的功能已经被版心取代,不必叠床架屋。不过有时候,我们翻阅线装书籍还会碰到书耳,这有可能是后人将蝴蝶装书改装为线装书,所以还保留着原有的书耳;也有可能是制版之人刻意仿拟蝴蝶装书籍的版式。

书籍的版式还包括书籍的开本,具体到古书上,就是书页的长宽。从文献记载来看,简牍时期,对简册长短及其用途似乎已经有了某些规定。东汉郑玄说,《易》《诗》《书》《礼》《乐》《春秋》六经都写在长二尺四寸的简册上,写《孝经》的简册一尺二寸,《论语》的八寸。依郑玄所说,简册的长短或许与书籍的重要程度有着密切的关系。如果这样,那么,王充所说"大者为经,小者为传记"中的"大""小",应该就是指简册的长短。重要的书籍用长简,次要的书籍用短简。王国维在《简牍检署考》中说:"周末以降,经书之策皆用二尺四寸。"

这么长的书简,不太方便捧读,只能伏案正襟危坐阅读。相比而言,八寸的《论语》则显得短小了些,是书籍中的袖珍本,或坐或卧,皆可捧读,其严肃性与重要性也相对降低了些。从出土的简册来看,有些简册是符合这个标准的,如武威汉简中的《仪礼》简长 54 厘米,相当于汉制二尺四寸。而大部分简册看起来似乎并不符合定例,如清华简最长的大约为 46 厘米,最短的才 10 厘米,与文献记载的标准并不相符。这或许可以说明,作为最早的书籍,简册的长度还没有完全统一。

相比简册而言,帛书的长短更加随意。唐代徐坚《初学记》中记载,帛书"依书长短,随事裁之"。意思就是说,一篇文章写完,就可以将多余的丝帛裁去,帛的长短与书的长短是一致的。不过有时候,多余的篇幅并不会被裁去,而是直接在上面抄写另外一篇文章。在出土的帛书中,就可以看到这样的情况,如马王堆汉墓出土的帛书《老子》甲本卷后、《老子》乙本卷前、《周易》卷后,都抄录了其他文章。不裁去余幅而径直抄录其他文章,这种做法虽然节约了丝帛,但同时也会带来另一个问题,就是造成书籍篇章的混淆。叶德辉在《书林清话》中认为,《吕氏春秋》前 12 卷为 12 纪,按《孟春》《仲春》《季春》《孟夏》等月令顺序编排,每卷之后却又杂入其他文章四篇,内容与月令不相干,实在难以理解,后来才悟出来,这是因为每卷抄录当月月令之后,还有剩余的篇幅,所以接着抄写其他文章。这个说法源于他对《吕氏春秋》结构的误解,不足为据,但是,帛书中利用剩余篇幅来杂抄他书从而造成篇章淆乱的现象,确实是存在的,这是我们读古书的时候需要注意的。

卷轴装书因为用了纸张而与简帛书的长度多有不同。刘国钧在《中国书史简编》中说:"纸卷长短不同,长的有二三丈,短的仅有二三尺。长卷有十几或几十幅纸粘接而成,短卷少的只有两幅纸。每张纸也有一定的尺寸,越到晚期纸张就越大些。隋唐时代卷子纸一般长宽为四十到五十厘米左右,高约二十五到二十七厘米。个别的有比一般尺寸更大或更小的纸。"这是据敦煌卷子统计出来的数据,有很大的可信性。由此可以知道,书籍纸张的长宽开始逐渐形成一定的规格。纸本时代书籍的长短,基本上随着读者的阅读需求而变化。

书籍版式的变化,与书籍装帧变化一样,都是为了阅读的方便。书籍外在形式的不断变革,为书籍内容更加容易为读者所吸收创造了条件。

# 古书的阅读

　　崇尚阅读是中华民族的优良传统。"读书"一词在春秋时期就已经产生。《论语·先进篇》记载,孔子的学生子路推荐学未成熟的子羔去当费地的长官宰,孔子不同意,说:"你这是在坑害他呀。"子路反驳道:"那里有人民,有社稷,不论是管理百姓还是祭祀神明,都可以在实践中学习,为什么一定要先读书呢?"孔子说:"因此我最讨厌那种巧言狡辩的人。"辩论以子路的理屈词穷结束,孔子主张先学习好礼乐等基本的为官之道再去做官,提倡先读书,然后学习为官之道。

　　孔子不仅这样指导学生,自己也是以身作则,最为典型的例子就是孔子读《易》"韦编三绝"。孔子时代,书籍的载体是竹简,《易》就是抄写在竹简上,用牛皮编连起来的竹简书。孔子读《易》十分刻苦,把牛皮绳都翻断了好多次。即使这样,他还保持着谦虚的态度,说:"假如让我多活几年,多读几年《易》,我就可以完全掌握《易》的文与质了。""韦编三绝"就成了鼓励后人刻苦读书的成语,孔子也成为后代读书人效仿的圣贤。

　　孔子生活的时代,书籍较少,因此他能够有充裕的时间专心读一本书。孔子之后,社会形势大变,各种私家撰述纷纷出现,图书数量急剧增加,民间的藏书也颇为丰富。到庄子的时候,读书形势就与孔子时大不相同。《庄子·天下篇》记载:"惠施多方,其书五车。"惠施是庄子的好朋友,是很有学问的人,他读的书很多,要用五辆车来拉。后人便用"学富五车"来形容一个人读书多,有学问。惠施读的书当然也是竹简书,这时候的竹简书,数量上急遽增多,内容也更为丰富,一个读书人能够并且需要阅读的书也越来越多了。

西汉时,宫廷藏书量已经突破一万三千余卷,需要多个藏书机构来存放。这还只是简帛时期的图书数量,到了纸本时代,书籍数量增加得更快。隋朝宫廷藏书量就达到了三十七万卷。到了唐宋,雕版印刷兴起,书籍数量的增长速度更加惊人。书籍数量的剧增,也对士人的阅读量提出了更高的要求。对纸本时代的士人来说,读书五车已经算不得渊博有学问,"读书破万卷"成为士人们读书的新追求。"读书破万卷,下笔如有神"是杜甫的诗句。"破"字可以有两种解释:一种是指数量上突破万卷,另一种是指万卷书都被读破了,犹如"韦编三绝"。书籍数量的剧增,不仅反映在私人阅读量上,还反映在私人藏书量上。唐代柳宗元《陆文通墓表》中说:"其为书,处则充栋宇,出则汗牛马。"后人从这句话中提炼出"汗牛充栋"的成语,来形容著述或藏书之多。在柳宗元的文章中,这个成语说的是一个唐代人的丰富藏书。

面对藏书量与阅读量的剧增,人们难免发出像庄子那样的喟叹:"吾生也有涯,而知也无涯,以有涯随无涯,殆已。"面对图书的海洋,读者需要思考这样的问题:如何阅读书籍?读书有何方法?

阅读古书必须建立在认识文字与辨明句读的基础之上。现代图书都有新式标点,句子的停顿与章节的转换被标示得清清楚楚。而古籍绝大部分是没有标点的,这就需要读者掌握句读的能力。细致地讲,一句话语句完结了,叫做句,相当于新式标点中的句号,古人常常会用空心圆圈表示。一句话没有完结,可以稍加停顿的,叫做读,相当于新式标点中的逗号,古人常常用实心点来表示。句读必须通过训练学习。《礼记·学记篇》记载,古人读了一年书之后,要检查阅读的成效，看是否掌握了"离经辨志"。按照汉代郑玄的注释，"离经"的意思就是"断句绝也"，也就是掌握经书的句读，从而理解经书的意义。这说明古人很早就重视句读的学习。

在简帛书中，常常出现空一字的情况，表示句读。有时在一段文章的开始，还会画上"〇"，表示段落起始，相当于今天写文章另起一行。这个符号，在宋儒注经书的时候一直被沿用着。

古人读书，常常随手标点，读一段标一段，疏通大意。阅读同一本书时，每个读者都要句读，耗时耗力，特别是流通量较大的书籍，若无标点，很不利于广泛阅读与传播。于是，刻书人就在雕版之时，刻上句读，方便人们阅读。如南宋杭州沈二郎经坊刊刻的《妙法莲华经》就是加有句读的。其牌记云："本铺将古本《莲经》一一点句，请名师校正重刊。选拣道山场抄造细白上等纸扎，志诚印造。见住杭州大街棚前南钞库相对沈二郎经坊新雕印行。望四远主顾，寻认本铺牌额，请赎。谨白。"这则广告意味浓厚的牌记，特别强调这本书是经过句读的，而且经过"名师校正"。由此可见，经过句读的书籍，在当时是有广泛市场需求的。

除了句读，古人读书还会用不同颜色的笔来做各种标记，其中包括评点或者批点。评、批是用文字进行评论和分析，点则是用圈号、点顿等符号来表达意见和观点。明代的时候，随着套印技术发展成熟，大量的评点本流通于市场。著名古文家归有光曾用朱、黄、青、黑诸色笔来评点《史记》："朱圈点处，总是意句与叙事好处；黄圈点处，总是气脉。"一般来说，圈点是表示赞赏和突出重点。句子意思以及叙事好的地方，人们容易理解；气脉要紧的地方，一般人就不容易看懂了。评点中正面肯定的比较多，也有一些批评或者商榷的地方。归有光评点《史记》，"黑掷是背理处，青掷是不好要紧处,朱挪是好要紧处,黄挪是一篇要紧处"。"挪"就是评点中的逗点,有突出强调之意。评点中使用缤纷多彩的墨色,丰富多样的符号,使书页朱墨烂然,版面复杂而好看。

雕版印刷的发展,不断丰富图书的版式与内容,满足了人们形形色色的阅读需求。读者可以根据自己的兴趣而选择不同版本、不同种类的书籍。版刻中所用的字体,也有多种形式,风格不同,各有千秋。比如宋代版刻中就有肥瘦两种字体,肥字学的是颜真卿体,瘦字学的是欧阳询体。我们今天所用的宋体、仿宋体等字体,都是从宋代版刻中继承变化而来的。宋体字笔画有粗细变化,一般是横细竖粗,末端加一些装饰成分,以求美观,所以一直沿用到今天。雕版印刷中使用的不同字体,既体现了人们的阅读要求和书法欣赏趣味,又是古书版式艺术性的反映。

读书可以分为泛览与精读。陶渊明自言"好读书不求甚解",梁简文帝号称"一目十行",都可以视为泛览。精读的书都是重要的书,或者是实用的书,例如与科举仕途相关的经典书籍。在诗赋取士的唐朝,收录了大量先唐文人才士名篇佳作的《文选》,因为有助于士人吟诗作赋,而成为举子们争相阅读学习的范本,当时社会上甚至流行"文选烂,秀才半"这种说法。儒家经典是科举时代知识分子的必读书,而且需要精读,用心揣摩。不仅应试科考的举子需要细读背诵,就是入朝为官的士人也要手不释卷。北宋欧阳修为了精读儒家九部经典,使用了"计字日诵"的方法。据他计算,《孝经》1 930字,《论语》11 750 字,《孟子》34 685 字,《周易》24 170字,《尚书》25 700 字,《诗》39 234 字,《礼记》99 010 字,《周礼》45 860 字,《春秋左传》196 845 字,总共 450 000 余字。若每天熟读 300 字,四年半可以读完;若每天读 150 字,九年也可读完。虽然总量不少,但只要坚持每日定量诵读,细水长流,积少成多,总能读完九经。读书贵在坚持。

南宋时,朱熹的学生将老师平时的训导总结成六个要点:循序渐进、熟读精思、虚心涵泳、切己体察、着紧用力、居敬持志。这就是朱子读书法,是古代最为成熟的读书法之一,它比较强调个人修养。元代程端礼将朱子读书法转化为切实可行的读书方案,把科举考试的必读书与朱子读书法相结合,制订严格的读书日程,撰成《读书分年日程》,指导学生在读书过程中按部就班,循序渐进,同时温故知新。这一读书方案与欧阳修的"计字日诵"读书法是一致的。这种读书方法影响很大,清代科举下的士子大多数就是这样一路读过来的。

古人读书追求经世致用,于个人前程而言,他们希望能够通过读书,改变自己的命运;于个人性情而言,读书潜移默化、润物无声的作用更为明显。苏轼有诗云:"粗缯大布裹生涯,腹有诗书气自华。"意思是说一个人读书多了,身上自然会带有书卷气,一言一行都会体现读书人特有的气质与风度。

书籍是人类文化的结晶。书中有人们的喜怒哀乐,也有国家的治乱兴亡,有人情冷暖,也有世事变迁,一册在手,思接千载,视通万里。朱熹《观书有感》诗云:"半亩方塘一鉴开,天光云影共徘徊。"无论是书籍本身,还是阅读行为,都在人与书的互动中摇曳生姿,别有洞天。

# 原典选读

## [唐]魏徵《隋书·经籍志》(节选)

隋开皇三年,秘书监牛弘,表请分遣使人搜访异本。每书一卷,赏绢一匹。校写既定,本即归主。于是民间异书,往往间出。及平陈已后,经籍渐备。检其所得,多太建时书。纸墨不精,书亦拙恶。于是总集编次,存为古本。召天下工书之士,京兆韦霈、南阳杜頵等,于秘书内补续残缺,为正副二本,藏于宫中。其余以实秘书、内、外之阁,凡三万余卷。炀帝即位,秘阁之书,限写五十副本,分为三品:上品红琉璃轴,中品绀琉璃轴,下品漆轴。于东都观文殿东西厢构屋以贮之。东屋藏甲乙,西屋藏丙丁。又聚魏已来古迹名画,于殿后起二台,东曰妙楷台,藏古迹;西曰宝迹台,藏古画。又于内道场集道、佛经,别撰目录。大唐武德五年,克平伪郑,尽收其图书及古迹焉。命司农少卿宋遵贵载之以船,溯河西上,将致京师。行经底柱,多被漂没。其所存者,十不一二。其《目录》亦为所渐濡,时有残缺。今考见存,分为四部,合条为一万四千四百六十六部,有八万九千六百六十六卷。

## [宋]欧阳修《六一诗话》(节选)

陈舍人从易,当时文方盛之际,独以醇儒古学见称。其诗多类白乐天。盖自杨、刘唱和,《西昆集》行,后进学者争效之,风雅一变,谓之"昆体"。由是唐贤诸诗集几废而不行。陈公时偶得杜集旧本,文多脱误,至《送蔡都尉》诗云:"身轻一鸟",其下脱一字。陈公因与数客各用一字补之,或云

"疾"，或云"落"，或云"起"，或云"下"，莫能定。其后得一善本，乃是"身轻一鸟过"。陈公叹服，以为："虽一字，诸君亦不能到也。"

## ［宋］王安石《读史》

自古功名亦苦辛，行藏终欲付何人。当时黯黯犹承误，末俗纷纭更乱真。糟粕所传非粹美，丹青难写是精神。区区岂尽高贤意，独守千秋纸上尘。

## ［宋］沈括《梦溪笔谈》卷二十五（节选）

宋宣献博学，喜藏异书，皆手自校雠。常谓："校书如扫尘，一面扫，一面生。故有一书每三四校，犹有脱谬。"

## ［宋］朱熹《观书有感二首》

半亩方塘一鉴开，天光云影共徘徊。问渠那得清如许，为有源头活水来。

昨夜江边春水生，蒙冲巨舰一毛轻。向来枉费推移力，此日中流自在行。

## ［宋］陆游《老学庵笔记》卷三（节选）

元丰中，王荆公居半山，好观佛书，每以故金漆版书藏经名，遣人就蒋山寺取之。人士因有用金漆版代书帖与朋侪往来者。已而苦其露泄，遂有作两版相合，以片纸封其际者。久之，其制渐精，或又以缣囊盛而封之。南人谓之简版，北人

谓之牌子。后又通谓之简版，或简牌。予淳熙末还朝，则朝
士乃以小纸高四五寸、阔尺余相往来，谓之手简。简版几废，
市中遂无卖者。而纸肆作手简卖之，甚售。

## ［宋］周辉《清波杂志》卷八

印板文字，讹舛为常。盖校书如扫尘，旋扫旋生。葛常
之侍郎著《韵语阳秋》，评诗一条云："沈存中云：退之《城南联
句》'竹影金锁碎'者，日光也，恨句中无'日'字尔。余谓不
然。杜子美云：'老身倦马河堤永，踏尽黄榆绿槐影。'亦何必
用'日'字，作诗正要如此。"葛之说云尔。辉考此诗，乃东坡
《召还至都门先寄子由》，首云："老身倦马河堤永，踏尽黄槐
绿榆影。"终篇皆为子由设，当是误书"子瞻"为"子美"耳。此
犹可以意会，若麻沙本之差舛，误后学多矣。

## ［明］胡应麟《少室山房笔丛》甲部"经籍会通"四（节选）

今人事事不如古，固也，亦有事什而功百者，书籍是已。
三代漆文竹简，冗重艰难，不可名状；秦汉以还，浸知抄录，楮
墨之功，简约轻省，数倍前矣。然自汉至唐，犹用卷轴，卷必重
装，一纸表里，常兼数番，且每读一卷，或每检一事，绅阅展舒，
甚为烦数，收集整比，弥费辛勤。至唐末宋初，抄录一变而为印
摹，卷轴一变而为书册，易成难毁，节费便藏，四善具焉。溯而
上之，至于漆书竹简，不但什百而且千万矣。士生三代后，此类
未为不厚幸也。

## [清]孙庆增《藏书纪要》第五则"装订"

　　装订书籍,不在华美饰观,而要护帙有道,款式古雅,厚薄得宜,精致端正,方为第一。古时有宋本、蝴蝶本、册本各种订式,书面用古色纸,细绢包角,裱书面用小粉糊,入椒矾细末于内,太史连三层裱好,贴于板上,挺足候干,揭下压平用,须夏天做,秋天用。折书页,要折得直,压得久,捉得齐,乃为高手。订书,眼要细,打得正,而小草订眼亦然,又须少,多则伤书脑,日后再订,即眼多易破,接脑烦难。天地头要空得上下相趁,副页用太史连,前后一样两张,裁要快刀截,方平而光,再用细砂石打磨,用力须轻而匀,则书根光而平,否则不妥。订线用清水白绢线,双根订结,要订得牢,嵌得深,方能不脱而紧,如此订书,乃为善也。见宋刻本衬书纸,古人有用澄心堂纸,书面用宋笺者,亦有用墨笺洒金书面者,书签用宋笺藏经纸古色纸为上。至明人收藏书籍,讲究装订者少,总用棉料古色纸,书面衬用川连者多。钱遵王述古堂装订书面,用自造五色笺纸,或用洋笺书面,虽装订华美,却未尽善,不若毛斧季汲古阁装订书面,用宋笺、藏经纸、宣德纸,染雅色,自制古色纸更佳。至于松江黄绿笺纸,书面再加常锦套,金笺贴签,最俗,收藏家间用一二。锦套须真宋锦或旧锦、旧刻丝,不得已,细花雅色上好官锦则可,然终不雅,仅可饰观而已矣。至于修补旧书,衬纸平伏,接脑与天地头,并补破贴欠口,用最薄棉纸熨平,俱照补旧画法,摸去一平,不见痕迹,弗觉松厚,真妙手也。而宋元板有模糊之处,或字脚久缺不清,俱用高手摹描如新,看去似刻,最为精妙。书套不用为佳,用套必蛀,虽放于紫檀香楠匣内藏之,亦终难免。惟毛氏汲古阁用伏天糊裱,厚衬料,压平伏,裱面用洒金墨笺,或石青、石绿、棕色、紫笺,俱妙。内用科举连裱里,糊用小粉、川椒、白矾、百部草细末,庶可免蛀。然而偶不检点,稍犯潮湿,亦即生虫,终非佳事。糊裱宜夏,折订宜春。若夏天折订,汗手并头汗滴于书上,日后泛潮,必致霉烂生虫,不可不防。凡书页少者宜衬,书页多者不必。若旧书宋、元钞刻本,恐纸旧易破,必须衬之,外用护页,方妙。书签用深古色纸裱一层,签要款贴,要正齐,不可长短阔狭上下歪斜,斯为上耳。虞山装订书籍,讲究如此,聊为之记,收藏家亦不可不知也。

## 王国维《人间词话》二十六

古今之成大事业、大学问者,必经过三种之境界:"昨夜西风凋碧树,独上高楼,望尽天涯路。"此第一境也。"衣带渐宽终不悔,为伊消得人憔悴。"此第二境也。"众里寻他千百度,蓦然回首,那人正在,灯火阑珊处。"此第三境也。此等语皆非大词人不能道。然遽以此意解释诸词,恐晏、欧诸公所不许也。

# 古书聚散与流通

　　书籍流通是中国古代文化传承的重要途径。从写本时期的辗转传抄,到刻本时代的化身千百,从内府秘阁图书的收集整理与私家藏书阁的建立传承,中国古代书籍经历了复杂的聚散与流通的过程。这个过程不仅是中国书籍史的核心线索,也是中国文化史的重要一支。图书难聚而易散,难存而易毁,因此,我们常常为书的散佚而扼腕叹息,同时也为书的聚藏而欢欣鼓舞,更为书的千年传承而惊叹不已。这些穿过漫长历史、逃过种种天灾人祸,而仍然展现在我们面前的典籍,是先辈留下来的宝贵遗产,是承载中国古代文化的重要支柱。只有妥善保存、细心整理、广泛流通、认真研讨,才能充分发挥其文化传承的重大作用。

# 书籍聚散与公私藏书

　　明清以来,许多藏书家都感叹藏书之难。明代叶盛在他的藏书目录《箓竹堂书目》自序中说:"夫天地间物,以余观之,难聚而易散者,莫书若也。"明末清初学者黄宗羲也感叹"读书难,藏书尤难,藏之久远而不散,则难之难矣"。书籍难聚易散,难存易毁,是藏书家们最为头疼的问题。他们耗费毕生精力搜求古本秘籍,什袭珍藏,定下种种家训,制订各项严格的藏书守则,为了防止这些藏书在他们身后遭受厄运,即便如此,也仍然避免不了藏书散佚的命运。正如所谓"天下大势,分久必合,合久必分"的道理一样,书籍的"聚散转相寻",几乎是中国古代每一段书籍史的必经之路。

　　实际上,从图书产生以来,书籍聚散就成了人们关注的重点。一方面是典籍累积汇聚,总量不断增多;另一方面则是间歇性的天灾人祸,书籍不断遭受散佚毁损之厄。一部书籍史,就是图书一次次收藏与一次次亡佚的循环。书籍的聚散,不仅吸引了众多平民士人的目光,还让王室贵族为之费神不已。民间的"耕读传家""书香门第"的传统,固然必须依托于家藏书籍,而王朝文化强盛的宣示,更需要丰富典藏的支撑。明代学者胡应麟曾经感慨地说:"图籍废兴,大概关系国家气运,岂小小哉!"这绝不是夸张的说法。正因为如此,书籍聚散可谓中国古代书籍文化中的永恒主题。

在春秋时代,夏朝和商朝的图书文献就已经非常少见了,孔子曾经喟叹道:"夏礼,吾能言之,杞不足征也;殷礼,吾能言之,宋不足征也。文献不足故也。"夏朝的礼,孔子能够说出来,但是它的后代杞国的礼不足以作证明;殷朝的礼,孔子也能说出来,但是它的后代宋国的礼不足以作证明。这是因为它们的历史文献和熟悉历史情况的贤者都不多了。历史上有"孔子问礼于老子"的记载,或许和老子曾担任过负责周朝藏室的史官(相当于现在的国家图书馆馆长)有关。周朝是我国古代藏书事业的开端,这一时期的藏书事业已经颇具规模,不仅建有专门的藏书机构,还设有大小官职来掌管各类图书。但是,当时图书的数量有多少,具体有哪些书籍,这些都不得而知了。

秦始皇统一中国之后,虽然曾在咸阳阿房宫设立"明堂""石室"等藏书机构来收藏书籍,但是被历史铭记的却是他的焚书坑儒。隋代时,学者牛弘提出图书的"五厄"之说,其中第一个就是秦始皇焚书。公元前213年,秦始皇采纳丞相李斯的建议,下令在全国范围内焚烧除秦史、医药、卜筮、种树以外的一切书籍,而儒生所重视的《诗》《书》、诸子百家等,更是重点禁毁的对象,任何人不准私藏这些图书,言谈涉及《诗》《书》者,也要以死罪论处。秦始皇焚书旨在控制人们的思想,同时也给中国古代典籍特别是先秦典籍造成了难以估量的损失,大量的典籍因此而销声匿迹,百家争鸣时代的诸子文化很多因此而难觅踪迹,自由活跃的学术风气因此而荡然无存。面对焚书政策,一些有识之士暗自抵制,冒险将书籍私藏起来。西汉时,曾在孔子旧宅的墙壁里发现了一批简牍古书,包括《尚书》《礼记》《春秋左氏传》等,据说这批书就是为了躲避秦始皇焚书而偷偷藏于夹壁之中的。还有一个"书藏二酉"的传说,说的是秦始皇焚书之时,有个嗜书好学的读书人为了躲避灾祸,将他的千卷藏书迁移到了湖南沅陵境内的大酉、小酉山中,自己躲在这里学习,千卷藏书因此也留在了这里。这或许只是一个美好的传说,但却可见古人对于书籍传承的渴望。

秦末农民战争中,刘邦的军队率先攻入秦朝首都咸阳,当其他将士忙着掳取金银财帛时,独具眼光的萧何却抢先取走了秦朝内府收藏的律令图书,为汉朝宫廷藏书奠定了基础。西汉初年就修建了三座皇家藏书楼,分别为石渠阁、天禄阁、麒麟阁,专门收藏图书和档案。到汉武帝时,开始广泛征集天下图书,收藏在太常、太史、博士、延阁、广内等藏书处。汉成帝时,又派人访求天下图书,西汉内府藏书因此数量大增,"百年之间,书积如丘山"。于是,成帝命令刘向等人整理内府藏书。根据刘向等人的统计,当时的皇家藏书多达一万三千余卷,盛极一时。然而好景不长,随之而来的"更始之乱"将西汉王朝百年的经营化为乌有,一万三千余卷的藏书也烟消云散。西汉时代也出现了不少优秀的私人藏书家,虽然其收藏规模不能与朝廷相比,但也相当可观。例如汉武帝的弟弟河间献王刘德,他的藏书就很丰富,而且善本甚多。

东汉政权建立之后,朝廷又开始收集图书,藏于洛阳的东观、兰台等处。书籍数量也逐渐增多,最多时,能装满六千余辆车。除了收集典藏图书，东汉王朝还创置了秘书监，负责主持图书的编校、著述活动。秘书监的设置，将内府的藏书事业从图书收集扩大到了图书生产，其重要性得到了后世的普遍认同，此后各个朝代都设有秘书监，一直延续，明清时期才去其名，并入到翰林院。东汉内府藏书最终也没能躲过战火的焚毁。东汉末年，董卓逼汉献帝迁都长安，洛阳藏书尽遭洗劫。运至长安的图书，最终也毁于战乱之中。

魏晋南北朝是古代中国历史上分裂动乱的时期，图书旋聚旋散，命悬一线。曹魏时，政府着手收集图书，逐渐丰富。西晋时，又继续搜集，到了负责整理国家藏书的荀勖编成《中经新簿》时，国家图书近三万卷。然而，西晋末年爆发的永嘉之乱，将这近三万卷图书几乎全部焚毁。东晋时，李充以《中经新簿》核查国家藏书，还剩下三千余卷，仅占原藏书的1/10。南北朝对峙时代，南朝聚书较多，梁元帝萧绎酷爱藏书，大肆搜求，不遗余力。但是在梁朝末年国破家亡之际，他把满腔怨恨发泄到图书上，将多年收集到的十四万卷藏书付之一炬。书籍的聚散存佚有时就系于一念之间，不能不让人痛心。这个时代也有一些私人藏书甚多，比如西晋张华，南朝沈约、任昉等人。这三位都是当时著名的学者和文学家，在文学和学术上都有很高的成就，这与他们的丰富藏书是分不开的。

隋朝统一中国后，非常重视图书的搜集工作。隋文帝招募善书之士将内府藏书重新抄写正副本，又向全国征集图书善本，书籍数量累积到了三万余卷。隋炀帝继位之后，也颇为重视图书的整理与搜集。内府所藏的图书，限抄写50本副本，存放于洛阳的观文殿。他又将图书分为上中下三品，重新装裱，以示区别。他还在观文殿修建书库，将图书按内容分库典藏，东厢存经史书，西厢存子集书。隋炀帝的这些做法,对后世官府藏书的管理具有启发意义。然而短暂的隋王朝很快就覆灭,天下大乱之际,隋朝内府藏书悉数被毁,片纸不存。

继之而起的唐王朝气度恢弘,无论在图书的收集,还是图书的生产上,都超迈前朝。唐玄宗时,图书数量已达八万余卷。当时的图书主要收藏在秘书省、弘文馆、史馆、集贤馆、崇文院、司经局、翰林院等藏书机构。集贤院是唐代中期最大的国家图书馆,其他藏书机构不能望其项背,秘书省的藏书也不及它的一半。人们常常称赞"开元文籍最备",称赞开元"书籍之盛事,自古未有",实质上是称赞集贤院的藏书丰富。安史之乱是唐代藏书的转折点。唐玄宗天宝十四年(755),安禄山、史思明发动叛乱,叛军不久即攻陷了长安、洛阳,两京藏书八万余卷焚毁殆尽,史称"安禄山之乱,尺简不藏"。平定安史之乱以后,唐王朝又开始搜集图书。然而,一百多年后,黄巢乱军又攻入长安,唐王朝新搜集到的五万余卷图书在战火中荡然无存。

唐代也涌现出不少私人藏书家,包括杜兼、韦述、李泌、柳仲郢等。李泌在唐德宗朝当过宰相,累封邺县侯,所以人们称他为"邺侯"。李泌继承了其父李承休的藏书,同时扩大收藏,又系统地整理自己的藏书,并加盖了私人藏书印"邺侯图书刻章"。他家中的藏书汗牛充栋,人们送他外号"书城"。为了区别不同类别的图书,他使用不同颜色的牙签,如经部书用红色牙签,史部用绿色牙签,子部用青色牙签,集部用白色牙签,都保存得很好。文学家韩愈特别仰慕他家的藏书,为此还写诗称颂:"邺侯家多书,插架三万轴。一一皆牙签,新若手未触。"可惜的是,李泌的藏书也未能传之久远,其子李繁因犯事而被赐死,李氏三代藏书即遭散佚之厄。柳仲郢差不多与李泌同时,他的藏书方式自具特色。据《新唐书·

柳仲郢传》记载，柳氏家藏图书上万卷，所藏图书必备三本：最佳本留作典藏，普通本留作自己阅读，较次本供子弟学习。这三种书籍分类储藏，不相混杂。后代有不少读书人和藏书家，都效仿柳仲郢这个做法。南宋藏书家刘仪凤便是其中一位。刘仪凤字韶美，是文学家陆游的好朋友。据陆游《老学庵笔记》中记载，刘仪凤的薪俸一半用来聚书，藏书达数万卷，而且每种书都有三个副本，即使多达几百卷的大部头书，也同样备有副本。可见他是以柳仲郢为榜样的。刘仪凤在杭州任职数年，终日闭门谢客，专事校书。后来，有人奏劾他偷抄秘阁图书，被以旷废公职的罪名罢官。他将藏书从水路运回老家四川，为了防止书籍散失，他煞费苦心，将书籍分载三条船运送，即使有所损毁，至少还有副本可供抄补。事实证明，他的预防措施是必要的，运书船走到湖北秭归新滩，有一条触礁覆船，幸好另外两条安然无恙。

到了宋代，随着雕版印刷业兴起，图书开始大规模生产，书籍数量急遽增长，公私藏书也更为丰富。北宋政权在统一国家之时，就非常重视图书的搜集，南唐、前蜀等政权的内府藏书，后来都成为北宋内府的收藏。政府又多次征集天下图书，奖励民间献书。当朝的官修书籍、新出图书也在政府藏书范围之中。于是，北宋皇家藏书总量日益增长。据统计，至宋徽宗、钦宗时期，北宋馆阁藏书已达七万余卷。然而，靖康之乱中，金军攻克北宋都城开封，将皇家藏书洗劫一空，北宋一朝一百多年苦心积累起来的七万多卷藏书，因此毁于一旦。高宗南渡之后，重新建设藏书机构，收集图书，广开献书之路。至宁宗时，图书数量又达到六万余卷。不幸的是，理宗绍定四年(1231)的一场大火，将收藏图书的秘书省、玉牒所等藏书机构全部烧毁，六万余卷藏书也在大火中烧毁大半，南宋的藏书事业遭受重创。1276年，元军攻陷南宋行在临安,南宋覆亡,官府藏书也走向散亡之途。

两宋的私家藏书颇为兴盛,北宋的江正、王钦若、叶梦得等人都是著名的藏书家,所藏书籍数量都在万卷之上。南宋时,晁公武、尤袤、陈振孙等人后来居上,藏书之富,可谓前无古人。在丰富的藏书基础之上,藏书家们开始注重编撰自己的藏书目录,晁公武有《郡斋读书志》,尤袤有《遂初堂书目》,陈振孙有《直斋书录解题》。这是现存的宋代三大私家藏书目录,对明清时期的私家藏书之风以及私家藏书目录的编撰产生了深远的影响。

明代雕版印刷业更为发达,书籍种类更为繁多,学术文化更为昌盛,公私藏书远超前朝。明代前期,政府特别重视图书的收集,还为此编撰了《文渊阁书目》。宋辽金元的官府旧藏,多归于内府,民间图书也多有进献。至宣宗时,朝廷藏书已有两万余部,近百万卷,达到了历史上前所未有的藏书量。不过,由于后来皇帝不加重视,图书事业由盛转衰,兼之管理不善、水火虫灾等厄运,朝廷藏书连年受损,破坏严重,到万历时清理文渊阁藏书,以《书目》核对,发现藏书已经十不存一,而唐宋善本更是"悉归于乌有",书籍惨状令人目不忍睹。1644 年,李自成军队攻入北京,明朝灭亡。不久,清兵又攻占北京,其间战乱蜂起,明王朝的国家藏书遭到严重破坏。

明代私家藏书风气极盛,各地藏书楼纷纷建立,藏书规模普遍扩大,这在很大程度上弥补了明代国家藏书的不足。其中最具规模的私家藏书楼,有宁波范氏天一阁、常熟毛氏汲古阁、山阴祁氏澹生堂等,无论就书籍数量还是质量来讲,都堪称历代私家藏书楼中的佼佼者。尤其值得强调的是宁波天一阁,这是我国现存最早的私家藏书楼,历经四百余年,依旧灵光岿然。天一阁所藏古书虽然时有增损,但大体上还保留了明代藏书的风貌,可谓书籍文化史上令人惊叹的奇迹。

　　清代是古代书籍集大成时期,无论是在古籍的数量上,还是在刊校图书的质量上,或者在公私藏书的规模上,都远远超越前代,是古代书籍文化史上最为繁荣鼎盛的朝代。清政府从开国之初就大力搜求图书,从顺治到乾隆,各朝皇帝都多次下令征集天下图书,但效果并不明显。乾隆皇帝软硬兼施,采取了卓有成效的策略,使民间图书源源不断地输入内府,极大地充实了国家典藏,并为《四库全书》的编撰提供了丰富的图书储备。清政府一方面大力收书,另一方面则借机进行学术文化的审查钳制,大量违碍清朝统治的书籍被查禁销毁。仅乾隆三十八年到四十七年(1773—1782)这十年间,就有一万三千余卷书籍被禁或被毁,清一朝,遭此厄运的图书更是难以计数。清代的禁书政策,严重损害了图书的传承,导致大量图书失去原貌,甚至因此而亡佚,是书籍文化史上的一次大浩劫。清代书籍文化史上的另一次浩劫,则是咸丰年间的太平天国战乱,大量书籍被毁坏,首当其冲的是江浙一带的国家藏书,祸害所及还包括江南腹地丰富的私家藏书。珍藏《四库全书》的江南三阁,江苏镇江金山寺的文宗阁和扬州文汇阁,皆毁于太平天国的兵火,浙江杭州孤山文澜阁也遭此兵火焚毁,部分藏书散失。到了晚清,清王朝在内忧外患夹击下摇摇欲坠,根本无力顾及藏书的保全,大量公私收藏图书在列强的侵略中化为废墟。1860年,英法联军进入北京,烧毁圆明园,圆明园文源阁所藏《四库全书》化为灰烬。藏于翰林院的《永乐大典》遭受掠夺,丧失其半。1900年,八国联军攻入北京,战火所及,大量文物典籍遭受破坏,历经磨难的《永乐大典》散亡殆尽。

　　私家藏书也在清代达到鼎盛。据叶昌炽《藏书记事诗》

统计,清代著名藏书家有 497 人,几乎占了历代藏书家的一半数量,其中重要的有钱谦益、钱曾、黄丕烈、卢文弨等。清代中叶以后,还出现了著名的四大藏书楼:山东聊城杨以增的海源阁,江苏常熟瞿绍基的铁琴铜剑楼,浙江湖州陆心源的皕宋楼,杭州丁申、丁丙兄弟的八千卷楼,藏书数量与质量都极其可观。然而在天灾人祸与乱世战火中,各家藏书都遭受厄运。最为人所痛惜的当属在大火中化为灰烬的钱谦益绛云楼藏书。钱谦益是明末清初的著名学者和藏书家。他的绛云楼藏书量在十万卷以上,包括极为贵重的宋元珍本三千九百余部。然而,1670 年一场意外的火灾,将绛云楼藏书焚烧一空,成为私家藏书史上的一大厄运。从此以后,人们仅能通过《绛云楼书目》,一窥绛云楼藏书的风采。在晚清民国的战乱中,四大藏书楼的命运各不相同。海源阁藏书屡受战乱之苦,楼舍毁坏,珍藏散佚,只有一小部分藏书最终归藏于国家图书馆和山东省图书馆,数量大致在两万余卷,还不及藏书总量的 1/10。皕宋楼藏书在 1907 年由陆心源之子陆树藩以十万元全部售与日本静嘉堂文库,从此皕宋楼藏书外流日本,至今仍保存于日本东京静嘉堂文库之中。八千卷楼藏书同样面临战乱破坏的危险,为了避免战争纷扰,也防止书籍再次流散海外,1908 年,丁氏后人将全部藏书低价售与江南图书馆,为私家藏书谋得了一个完美的归宿。江南图书馆是南京图书馆的前身,今日我们依然能在南京图书馆中,一睹八千卷楼藏书昔日的风采。铁琴铜剑楼藏书历经数代,绵延二百多年,虽然有部分藏书遭受厄运,但绝大部分藏书由瞿氏后人在新中国成立初期捐赠给了国家图书馆、上海图书馆以及常熟图书馆。四大藏书楼中,只有铁琴铜剑楼巍然独存,1991 年,被辟为铁琴铜剑楼纪念馆,以褒扬瞿氏家族爱书、护书、献书的杰出事迹以及在中国古代书籍文化传承方面所作出的卓越贡献。

　　在百折不挠、荡气回肠的世代坚守中,浩如烟海的书籍得以传承至今,成为了解中国古代文化最为重要的窗口。已故国家图书馆馆长任继愈先生在总结古代藏书历史时曾说:"中国的藏书事业似一条滔滔大河,聚汇条条支流,波涛渐宽,声势渐壮,由官府藏书而私人藏书而寺观藏书而书院藏书,随历史的进程而不断壮大发展。黄河九曲,中国的藏书事业同样历经种种磨难,终以百折不回、万劫不灭之气势,顽强走完了自己漫长而光荣的路程,并功德圆满地完成了向现代图书馆的嬗变。"随着现代公共图书馆的条件不断完善,人们越来越认识到古籍藏之于公的重要性与优越性。古籍入藏公共图书馆,不仅更加有利于完善保存、永久传承,也为私人阅读研究提供了便利的条件,更为中国文化的广泛传播开辟了宽广的道路。回顾书籍聚散传承的坎坷历史,我们也由衷地希望,存留至今的古籍能够不再受到天灾人祸、乱世战火的侵扰,远离散佚毁损,得到良好的公私典藏,在今人的阅读与整理中,焕发其文化和学术的光辉。

# 典籍存佚与古籍整理

新的书籍不断涌现,旧的书籍日渐消亡,书籍的生产与亡佚、收聚与散失,构成了古代书籍文化的历史循环。

从刘向整理汉代内府藏书以来,各个朝代的书籍数量、图书名称基本上都有明确的记载,而后代对前朝藏书的继承往往十不得一。梁代阮孝绪编成《七录》之时,曾将现存图书与《七略》以及《汉书·艺文志》所记载的数据相对比,发现《七略》中著录的 603 家书,572 家已亡,只有 31 家现存;《汉书·艺文志》中著录的 596 家书,552 家亡,只有 44 家现存;存者不到 10%,亡者则超过 90%。从汉代到南朝,书籍存亡的对比是如此悬殊。北宋欧阳修等人修撰《新唐书》时,也曾经统计过唐代人的藏书和著书情况。唐朝开元时代著录的藏书,共有 53 915 卷,唐代所著书又有 28 469 卷,合计 80 000 多卷,而到《新唐书》著录之时,“有其名而亡其书者,十盖五六也”。唐代中国已经进入纸张时代,而且唐宋两代相距不远,所以唐代书籍到宋初还能存留十之四五,与汉代到南朝那段历史相比,已经相当不错了。往往时代相距越远,书籍散佚越严重。元代马端临的《文献通考自序》中就说明了这个道理:汉、隋、唐、宋各朝史书都有《艺文志》,“然《汉志》所载之书,以《隋志》考之,十已亡其六七;以《宋志》考之,隋唐亦复如是。”《四库全书总目》别集类小序也说,隋唐史志中所著录的别集,宋代史志中十不存一;宋代史志所著录的别集,乾隆时也十不存一。关于存亡比例,各家统计的数字有所不同,但古书亡佚之多之快,从这个比例数据中可见其大概。

影响书籍聚散与存佚的天灾人祸很多，其中往往会造成大规模影响的是历代战乱及禁毁。然而，具体到某一部典籍，常常会有各不相同的原因。《诗经》是我国第一部诗歌总集，共收入西周初年至春秋中叶五百多年的诗歌305篇，又被称为《诗三百》。这部诗集从孔子之时就被用作教材，因而被奉为儒家经典，对中国古代文学与学术影响深远。据司马迁《史记》记载，孔子曾经整理过《诗经》，古代诗歌原来有3 000多篇，孔子去芜取精，选出305篇，可以配乐歌唱。然而在《诗经》目录中却有311篇，多出的六篇是《小雅》中的《南陔》《白华》《华黍》《由庚》《崇丘》《由仪》。汉代学者郑玄认为，这六首诗的文辞是在战国之乱及秦始皇焚书之时亡佚，但是篇名在目录中却保存了下来。秦始皇焚书坑儒，禁止民间收藏包括《诗经》在内的诸多古代典籍，这有可能造成对《诗经》文本完整性的破坏。很多先秦古籍的错乱散失，可能都与战国时的战乱以及秦始皇焚书有关。

《文心雕龙》是南朝刘勰创作的一部文学理论名著，全书共10卷，50篇，体大精深，对后世文学发展产生了重大影响。现存最早的《文心雕龙》刻本为元至正十五年（1355）本，第四十篇《隐秀》已经残缺，从"始正而末奇"至"朔风动秋草"的"朔"字一共脱漏400字。此后的明代刻本也沿袭了这样的状况，纵观整个元明时期，《文心雕龙》一书一直以残本的面貌流传。一直到清代初年，散佚已久的《隐秀》篇才重现人间。先是明末人钱功甫看到了宋刻完本《文心雕龙》，并据此抄录了《隐秀》篇的阙文。后来，钱本又被冯舒抄录。康熙时，学者何焯见到了冯舒的抄本，并转录下来。与此同时，何焯的弟弟何心友购得《文心雕龙》旧本一部，正好有抄补的《隐秀》全文。于是，何焯根据这两个本子，校补了《隐秀》篇，《文心雕龙》重新成为完整的本子。《文心雕龙》以残本流传了几百年，至此重为完椠，这当然是一件令人欣喜之事。然而，《隐秀》篇文本晚出，来历不明，又让学者充满疑虑。清初重现人间的这篇《隐秀》，究竟是刘勰的原本，还是明人的伪托，引起学者不少争论。像《文心雕龙》这样在流传过程中缺佚，之后又重为完椠的古籍不在少数，有些书可以明确判断为后人作伪，有些书则可以认为是出自原书，更多的书籍则一直徘徊在真伪之间，激起后人无数讨论。这就需要从校勘、订讹、辑佚、辨伪等角度开展专业的古籍整理工作。

书籍的流传与散佚，常常带有很大的偶然性。特别是书籍的散佚，往往在转瞬之间。若散佚之书在当时流传广泛，被其他书摘抄或转录，则后人可以从这些其他书中辑佚，窥其一斑，甚至辑存大量佚文，在一定程度上恢复原书的面貌。还有一些流传不广的书籍，一旦散佚，随即在历史中销声匿迹，永失其传。但也有极少部分书籍在长时间的佚亡之后，竟能幸运地重现人间，这是令读者、学者极为兴奋的事情。近代以来，随着考古发掘的发展，沉埋的古籍重见天日；随着国际交流的开展，中土久佚的典籍也时有发现，其中出土于敦煌的韦庄《秦妇吟》、发现于日本的唐代张鷟《游仙窟》以及发现于韩国的明代话本小说集《型世言》，是 20 世纪以来比较重要的书籍文化事件。

《秦妇吟》是唐末五代诗人韦庄的作品。唐僖宗广明元年（880），黄巢率领军队攻入长安，唐僖宗出逃。这时的韦庄正在长安应举，来不及逃脱，仓促间困于围城之中。于是，他亲眼目睹了长安城内的变乱，并经历了一段惊心动魄的生活。在逃离长安后，他将这段历史述诸笔端，以一个长安逃难出来的女子——"秦妇"的自述，写成了这篇在当时广为流传的长篇叙事诗《秦妇吟》。据五代人孙光宪《北梦琐言》的记载，因为此诗影响太大，韦庄被人称为"《秦妇吟》秀才"。

然而诗中有一句"内库烧为锦绣灰,天街踏尽公卿骨"让之后的公卿大臣颇感震惊,韦庄也因此而有所顾忌,在编录诗集时,并没有收入此诗,还告诫子孙,不许将此诗流传下去。就这样,由于韦庄的一念之转,《秦妇吟》一篇湮灭于历史长河中达千年之久。直到20世纪初,随着敦煌文献的出土,写本《秦妇吟》才重见天日。此诗长达一千六百六十余字,是唐诗中最长的一篇,很快引起多方面的关注,人间惊艳。著名学者如罗振玉、王国维、陈寅恪等人都对此诗作过考证诠释,极力发掘它的诗史意义。《秦妇吟》的发现,不仅为文学史增添一首才华横溢的长诗,也为唐代书籍文化史提供了一个鲜活的案例。

与《秦妇吟》不同,《游仙窟》和《型世言》的发现则是求诸于域外。以《游仙窟》为例。清代光绪年间,学者杨守敬在日本访书,发现了这部在中国早已失传了的唐代小说,并著录于光绪十年(1884)刊行的《日本访书志》中。这是第一次披露日藏《游仙窟》。其后,《游仙窟》一书时常被人提起,鲁迅在《中国小说史略》中也高度评价了这部小说。1928年,海宁陈氏将此书收入《古逸小说丛书》刊行,此书真容才第一次广为人知。此后刊本不断,评价越来越高,被推为唐代小说的开山之作。《游仙窟》的回归,是海外汉籍回流史上影响较大的一次,但并不是第一次,更不是最后一次。其实,早在清乾隆时代编纂《四库全书》时,就收有日藏汉籍《论语集解义疏》,此书在中国早已散佚。鲍廷博《知不足斋丛书》也同样收入了中国失传而日本保存的《古文孝经孔氏传》《五行大义》等。1987年以后,台湾东吴大学王国良教授和法国国家科研中心陈庆浩先生在韩国汉城大学奎章阁发现明代话本小说集《型世言》存本,更引发了此后在日本、韩国、越南等地寻访中土佚失汉籍的热潮。

　　书籍文献的传承，一方面是搜求并保存佚书，另一方面则是对现存书籍进行整理与研究。从孔子开始，中国古代知识分子就重视典籍的整理。他们提倡述而不作，注重经典注疏，推崇为往圣继绝学，以文化传承为己任，不断推动典籍的整理与研究，也不断丰富古代书籍文化。

　　古籍整理从孔子开始。孔子生当春秋末期，他目睹周室衰落，王道废弛，礼崩乐坏，为了兴复王道，重建礼乐制度，他晚年投注大量精力整理"六经"，论次《诗》《书》，修《礼》《乐》，序《易》传，作《春秋》。虽然《乐》书没能保存下来，但其他五部经典都得益于他的整理而流传。他以"述而不作"为指导思想，重视文献的原貌与风格。在整理之时，他又有所删取，加以己意，体现出自己的观点与见解，寓作于述，以述代作，试图恢复商周时期的礼乐，教化社会。虽然他的努力在当时收效甚微，但却在后世发挥了极大的影响。自汉代推崇儒术以后，五经成为知识分子的必读书，历代儒家学者在阅读经典之时，注重经典意义的阐释，于是各种传、注、笺、疏、正义之类的著作纷纷出现，这些经典的注释和整理，极大地丰富了经典的意义，传承了儒家经学与学术文化。

　　刘向是孔子之后典籍整理的又一位集大成者。汉成帝之后，刘向受命整理内府藏书，"讲六艺传记，诸子、诗赋、数术、方技，无所不究"。每整理完一本书之后，刘向就"条其篇目，撮其指意，录而奏之"。这是一次大规模的图书整理，历经20余年才完成，最终共整理了586家13 269卷图书。这不仅大大完善了典籍类例，提高了书籍质量，方便阅读，更为后人提供了成熟的古籍整理之法。现代学者孙德谦在《刘向校雠学纂微》一书中，将刘向的古籍整理方法总结为23种，分别为备众本、订脱误、删复重、条篇目、定书名、谨编次、析内外、待刊改、分部类、辨异同、通学术、叙源流、究得失、撮指意、撰序叙、述疑似、准经义、征史传、辟旧说、增佚文、考师承、纪图卷、存别义。从此以后，以古籍整理为中心的校雠学就成为专门学问，论其体例与方法，刘向实有开辟之功。

　　汉代以后，历代都有官方的文献整理工程，私家文献整理也层出不穷。小到一家文集的校勘，大到历代典籍的汇编，无不为保存文献和传承文化作出了贡献。"五四"以后，文言逐渐退出日常阅读与写作领域。时至今日，一般读者已不大熟悉文言文的表述方式，也不大适应古书的形式与内容。如何让古籍的内容、思想得以传承普及，如何让深奥的古代文字转变为通俗易懂的现代语言，就成为我们要面对的问题。如何合理地解决这个问题，是时代赋予古籍整理的重要使命。现当代学者已为此付出了辛苦努力，不少重要古籍已有了现代整理本。校勘、注释、评析、翻译等方法的运用，为读者阅读古籍打开了方便之门，也为典籍的古今传承架设了桥梁。然而面对浩渺的古书海洋，典籍整理还有漫长的路要走。

# 书籍流通与文化传承

在写本时代,书籍需要通过不断传抄才能得以流传,辗转传抄和借阅成为读书人学习的常态。在刻本时代,书籍需要通过市场流向社会,分散于众多读者的案头,收藏于不同人家的书斋。书籍聚散的历史,是一本本书籍从不同的地方流向同一个收藏地,又从同一个地方散向不同的收藏地的历史。书籍存佚的历史,是一本本书籍在不断变换储存地址和收藏单位,从而存留或丢失的历史。当我们翻阅古籍,看到同一册古书上有不同时代、不同背景的人物的藏书印时,当我们在其他国家看到中国古籍之时,我们必然会追问这些书籍的来龙去脉。换句话说,书籍在历史的长河中不停地流动,从一个人手里流到另一个人手里,从一个地方流到另一个地方,从一个时代流到另一个时代,甚至从一种样式流成另一种样式,这就是书籍的流通,也就是书籍之路。书籍流通的方式主要有三种:借阅传抄、出版销售、赠送。

不论在何时,借阅都是书籍流通最为基本的方式。宋代以前,私人借阅国家藏书虽偶有记载,但毕竟还是少数。到了宋代,这样的记载逐渐增多,但也仅仅是对政府官员开放借阅。到了清代乾隆年间《四库全书》编成,乾隆皇帝在江浙两省建文宗、文汇、文澜三阁,每阁存放一部《四库全书》,允许好学之士前去查阅,但不能外借。这种方式很有现代图书馆的影子。通常情况下,是个人向国家藏书机构借阅,但也有国家向私人借书的情况,如北宋时期,向天下征集图书,私人图书不愿献出者,可以借给国家抄录,抄录之后发还,并给予奖赏。乾隆修《四库全书》时，也采用了这样的手法，从民间征集到大量图书。由此可见，借阅每与传抄相伴，如影随形。

私人间的图书交流是借阅的常态。魏晋以来，书籍载体转变为纸张，便于借阅，故而图书借阅蔚然成风。《晋书》记载范平家藏有七千多卷书籍，常常有百余人前来阅读。《隋书》记载刘智海家藏有丰富的典籍，刘焯、刘炫常去读书，十年之后，两人就学有所成。北宋时期，藏书家李公择将自家藏书置于僧舍之中，方便好学之人前去阅读。实际上，在很长一段时间里，某些寺观和书院作为藏书之所，都扮演了现代图书馆的角色。到了明清时代，私人藏书之风极为兴盛，藏书家之间交流频繁，借阅现象更为普遍。明代常熟藏书家何大成常常借阅别人的图书，也把自家藏书借给别人看。他的好朋友冯舒说他"得一书必相通假，约日还，风雨不误"。清初南京藏书家黄虞稷和丁雄飞还订了《古欢社约》，规定两人相互借书的时间地点：每月十三日，丁雄飞到黄虞稷家借书；二十六日，黄虞稷到丁雄飞家借书。订好日子之后，每个月照此执行，不必提前再约。借还书也有规定，借书不得超过半个月，还书得亲自来，不得托人转致。两人这样相互借阅图书，一时传为佳话。互通有无，几乎成为藏书家们的"日课"。道光年间常熟藏书家陈揆与张金吾，两家相距不到半里，闲暇时二人就相互走动，各自出示所获书籍，赏奇辨疑，有无相通。二人因此被成为"藏书二友"。浙江藏书家和江苏藏书家一样，也乐于图书借阅。清代杭州藏书家朱文藻称，乾隆时期，浙东、浙西的藏书家们常常"参合有无，互为借抄"。可见，图书借阅传抄，是读书人增长知识、藏书家丰富藏书的一种有效方式。

宋代以来，雕版印刷业不断发展，出版销售成为书籍流通的一种方式。公私刻书的目的都是为了流通。为了便于流通，宋代国子监出版销售的正经正史，不仅质量有保证，定价还十分便宜。为了防止地方售书价格过高，政府还明文规定书籍价格，确保读书人能够买得起。明清时期，政府也特别重视书籍的刊刻传播，明代国子监所藏的宋元书版，经过修补后，重新印刷书籍，以方便好学之士。清代乾隆时，从《四库全书》中选择重要书籍，用木活字排印了《武英殿聚珍版丛书》134 种，以广其传。

　　明清时期的藏书家也热衷于刊刻图书，使之流传于世。明末清初的毛晋是其中的杰出代表。他不仅校刻了不少奇珍异本，还校勘刊行了《十三经注疏》《十七史》等大部头书籍。他出版销售图书的目的，一是帮助读者研究经史之学，掌握其门径和源流，二是传播秘册善本，扩大其学术影响。清代藏书家热衷于刊刻丛书，丛书的编撰则以各自的藏书以基础，选择珍本、善本加以刊行，对于扩大书籍流通、方便读者用书，作出了很大的贡献。清末黎庶昌将他在日本获得的古籍善本 26 种，刻成《古逸丛书》流传于世，其中 24 种是国内亡佚而保存于日本的珍贵古籍。《古逸丛书》传世，使得藏于域外的善本书籍得以在国内流通散布，意义重大。

　　赠送是图书流通的另一种方式。皇帝赏赐臣下，政府赐赠友邦，亲戚友好间转让，都是图书赠送的表现形式。皇帝赐书臣下，史书中常有记载，不仅能够显示帝王的仁爱，还往往有鼓励臣下读书之意。《后汉书》记载光武帝曾赐窦融《史记》中的《五宗世家》《外戚世家》《魏其侯列传》等篇，明帝赐王景《山海经》等书，章帝赐东平宪王刘苍"秘书、列仙图、道术秘方"。《陈书》记载称江总家藏有皇帝"赐书数千卷"。声势最大的赐书是清乾隆皇帝修《四库全书》之时，对献书 500 种以上的藏书家如鲍士恭、范懋柱等人各赐《古今图书集成》

一部,对献书100种以上的藏书家周厚堉、纪昀等人各赐《佩文韵府》一部。

政府赐赠友邦书籍,在唐朝时有发生。这时候的书籍还停留在抄写阶段,友邦遣使来朝,需要什么书,就抄写什么书。唐朝垂拱三年(687),新罗遣使来朝,上表请求唐朝送一部《唐礼》,还要一些各体文章。武则天就命人抄写吉凶要礼,并在《文馆词林》中采择规诫之词,编为500卷赐之。少数民族也有请求赐书的。景龙四年(710),吐蕃来使请赐《毛诗》《礼记》《左传》《文选》各一部,唐中宗即令秘书省各抄写一部赠之。宋代以后,书籍多出于刊刻,比较容易得到,赐书国外的现象就少了。但日本、朝鲜等国使者和士人来华购书者,则屡见不鲜。

历史上还有不少私家赠书的现象。《三国志》记载汉末蔡邕特别欣赏王粲的才华,曾表示要将自己家藏的书籍文章,全部送给王粲,后来蔡邕果然没有食言。此事传为书籍文化史上的一段佳话。此后以书籍相赠的例子越来越多,特别是明清藏书家常常以抄录稀见本书籍互赠。近现代以来,随着人们观念的转变,私家藏书常常被捐赠给公共图书馆,以期长久保存,并得到充分利用,如聊城杨氏海源阁藏书、杭州丁氏八千卷楼藏书、常熟瞿氏铁琴铜剑楼藏书等都捐献给了国家。这种新时代的新式赠送,对于图书流通也有重大而积极的影响。

存藏书籍是为了更好的流通,秘不示人,便体现不出图书应有的价值。明末人李如一曾说过:"天下好书当与天下读书人共之。"清代张海鹏也说:"藏书不如读书,读书不如刻书。读书只以为己,刻书可以泽人。"他所谓"泽人"包括两个方面,"上以寿作者之精神,下以惠后学之沾溉",既传播了前人的思想学术,又开启了后学的聪明智慧,承前启后,全靠刻书,也就是靠书的流通。书籍只有通过更广泛的流通、传播,才能凸显其文化意义。反观书籍历史,那些因流通不畅而销声匿迹的散佚书籍,我们已很难看到它们的影响力。而像《诗经》《论语》《老子》《庄子》《史记》《文选》等深刻影响中国文化的经典著作,无不在后世广泛流传,拥有众多读者。流通越广,生命力越强;读者越多,影响力越大。当今之世,我们仍要提倡大众阅读,提倡经典阅读,其理由就在这里。

中国古代文化依托于书籍而世代传承,日益丰富。书籍的广泛传播,又扩大了中国古代文化的影响,造就了灿烂的古代文明。读万卷书犹如行万里路,浏览书籍发展的历史,犹如穿越千年文化的旅程。此时,我们终于阅尽坎坷多难、百折不挠而又多姿多彩的书籍文化史,来到这个旅途的终点。回首来时路,是否有一幅波澜壮阔的书卷正在你面前徐徐展开?

# 原典选读

## ［东汉］班固《汉书·艺文志》（节选）

昔仲尼没而微言绝，七十子丧而大义乖。故《春秋》分为五，《诗》分为四，《易》有数家之传。战国从衡，真伪分争，诸子之言纷然淆乱。至秦患之，乃燔灭文章，以愚黔首。汉兴，改秦之败，大收篇籍，广开献书之路。迄孝武世，书缺简脱，礼坏乐崩，圣上喟然而称曰：朕甚闵焉！于是建藏书之策，置写书之官，下及诸子传说，皆充秘府。至成帝时，以书颇散亡，使谒者陈农求遗书于天下。诏光禄大夫刘向校经传诸子诗赋，步兵校尉任宏校兵书，太史令尹咸校数术，侍医李柱国校方技。每一书已，向辄条其篇目，撮其指意，录而奏之。会向卒，哀帝复使向子侍中奉车都尉歆卒父业。歆于是总群书而奏其《七略》，故有《辑略》，有《六艺略》，有《诸子略》，有《诗赋略》，有《兵书略》，有《术数略》，有《方技略》。今删其要，以备篇籍。

## ［隋］牛弘《请开献书之路表》（节选）

昔周德既衰，旧经紊弃。孔子以大圣之才，开素王之业，宪章祖述，制《礼》刊《诗》，正五始而修《春秋》，阐《十翼》而弘《易》道。治国立身，作范垂法。及秦皇驭宇，吞灭诸侯，任用威力，事不师古，始下焚书之令，行偶语之刑。先王坟籍，扫地皆尽。本既先亡，从而颠覆。臣以图谶言之，经典盛衰，信有征数。此则书之一厄也。汉兴，改秦之弊，敦尚儒术，建藏书之策，置校书之官，屋壁山岩，往往间出。外有太常、太史之藏，内有延阁、秘书之府。至孝成之世，亡逸尚多，遣谒者陈农求遗书于天下，诏刘向父子雠校篇籍。汉之典文，于斯为盛。及王莽之末，长安兵起，宫室图书，并从焚烬。此则书之二厄也。光武嗣兴，尤重经诰，未及下车，先求文雅。于是鸿生巨儒，继踵而集，怀经负帙，不远斯至。肃宗亲临讲肆，和帝数幸书林，其兰台、石室，鸿都、东观，秘牒填委，更倍于前。及孝献移都，吏民扰乱，图书缣帛，皆取为帷囊。所收而西，裁七十余乘，属西京大乱，一时燔荡。此则书之三厄也。魏文代汉，更集经典，皆藏在秘书、内外三阁，遣秘书郎郑默删定旧文。时之论者，美其朱紫有别。晋氏承之，文籍尤广。晋秘书监荀勖定魏《内经》，更著《新簿》。虽古文旧简，犹云有缺。新章后录，鸠集已多，足得恢弘正道，训范当世。属刘、石凭陵，京华覆灭，朝章国典，从而失坠。此则书之四厄也。永嘉之后，寇窃竞兴，因河据洛，跨秦带赵。论其建国立家，虽传名号，宪章礼乐，寂灭无闻。刘裕平姚，收其图籍，五经子史，才四千卷，皆赤轴青纸，文字古拙。僭伪之盛，莫过二秦，以此而论，足可明矣。故知衣冠轨物，图画记注，播迁之余，皆归江左。晋、宋之际，学艺为多，齐、梁之间，经史弥盛。宋秘书丞王俭，依刘氏《七略》，撰为《七志》。梁人阮孝绪，亦为《七录》。总其书数，三万余卷。及侯景渡江，破灭梁室，秘省经籍，虽从兵火，其文德殿内书史，宛然犹存。萧绎据有江陵，遣将破平侯景，收文德之书，及公私典籍，重本七万余卷，悉送荆州。故江表图书，因斯尽萃于绎矣。及周师入郢，绎悉焚之于外城，所收十才一二。此则书之五厄也。

## ［宋］郑樵《通志·校雠略》（节选）

《书有名亡实不亡论一篇》：

　　书有亡者,有虽亡而不亡者。有不可以不求者,有不可求者。《文言》、《略例》虽亡,而《周易》具在。汉魏吴晋鼓吹曲虽亡,而《乐府》具在。《三礼目录》虽亡,可取诸三礼。《十三代史目录》虽亡,可取诸十三代史。常鼎宝《文选著作人名目录》虽亡,可取诸《文选》。孙玉汝《唐列圣实录》虽亡,可取诸《唐实录》。《开元礼目录》虽亡,可取诸《开元礼》。《名医别录》虽亡,陶隐居已收入《本草》。李氏《本草》虽亡,唐慎微已收入《证类》。《春秋括甲子》虽亡,不过起隐公至哀公甲子耳。韦嘉《年号录》虽亡,不过起汉后元至唐中和年号耳。《续唐历》虽亡,不过起续柳芳所作至唐之末年,亦犹《续通典》续杜佑所作至宋初也。《毛诗虫鱼草木图》,盖本陆机《疏》而为图,今虽亡,有陆机《疏》在,则其图可图也。《尔雅图》,盖本郭璞《注》而为图,今虽亡,有郭璞注在,则其图可图也。张频《礼粹》出于崔灵恩《三礼义宗》,有崔灵恩《三礼义宗》,则张频《礼粹》为不亡。《五服志》出于《开元礼》,有《开元礼》,则《五服志》为不亡。有杜预《春秋公子谱》,无顾启期《大夫谱》可也。有《洪范五行传》,无《春秋灾异应录》可也。丁副《春秋三传同异字》,可见于杜预《释例》。陆淳《纂例》、京相璠《春秋土地名》,可见于杜预《地名谱》、桑钦《水经》。李腾《说文字源》,不离《说文》。《经典分毫正字》,不离《佩觿》。李舟《切韵》,乃取《说文》而分声。《天宝切韵》,即《开元文字》而为韵。《内外转归字图》、《内外传钤指归图》、《切韵枢》之类,无不见于《韵海镜源》。《书评》、《书论》、《书品》、《书诀》之类,无不见于《法书苑》、《墨薮》。唐人小说,多见于《语林》。近代小说,多见于《集说》。《天文横图》、《圆图》、《分野图》、《紫微图》、《象度图》,但一图可该。《大象赋》、《小象赋》、《周髀星述》、《四七长短经》、刘石甘《巫占》,但一书可备。《开元占经》、《象应验录》之类,即《古今通占鉴》、《乾象新书》,可以见矣。李氏《本草拾遗》删繁《本草》,徐之才《药对》、《南海药谱》、《药林》、《药论》、《药忌》之书,《证类本草》收之矣。《肘后方》、《鬼遗方》、《独行方》、《一致方》及诸古方之书,《外台秘要》、《太平圣惠方》中尽收之矣。纪元之书,亡者甚多,不过《纪运图》、《历代图》可见其略。编年纪事之书,亡者甚多,不过《通历》、《帝王历数图》可见其略。凡此之类,名虽亡,而实不亡者也。

《亡书出于后世论一篇》:

古之书籍,有不出于当时,而出于后代者。按萧何律令、张苍章程,汉之大典也,刘氏《七略》、班固《汉志》全不收。按晋之故事,即汉章程也。有《汉朝驳议》三十卷、《汉名臣奏议》三十卷,并为章程之书,至隋唐犹存,奈何阙于汉乎?刑统之书,本于萧何律令,历代增修,不失故典,岂可阙于当时乎?又况兵家一类,任宏所编有《韩信军法》三篇、《广武》一篇。岂有《韩信军法》犹在,而萧何律令、张苍章程则无之,此刘氏、班氏之过也。孔安国《舜典》,不出于汉而出于晋。《连山》之《易》,不出于隋而出于唐。应知书籍之亡者,皆校雠之官失职矣。

《亡书出于民间论一篇》:

古之书籍,有上代所无而出于今民间者。《古文尚书音》,唐世与宋朝并无,今出于漳州之吴氏。陆机《正训》、《隋》、《唐》二志并无,今出于荆州之田氏。《三坟》自是一种古书,至熙丰间始出于野堂村校。按漳州《吴氏书目》,算术一家,有数件古书,皆三馆、四库所无者,臣已收入求书类矣。又《师春》二卷、《甘氏星经》二卷、《汉官典仪》十卷、《京房易钞》一卷,今世之所传者,皆出吴氏。应知古书散落人间者,可胜计哉,求之之道未至耳。

## [明]胡应麟《少室山房笔丛》甲部"经籍会通"一(节选)

　　牛弘所论五厄,皆六代前事。隋开皇之盛极矣,未几皆烬于广陵。唐开元之盛极矣,俄顷悉灰于安、史。肃、代二宗,浸加鸠集。黄巢之乱,复致荡然。宋世图史,一盛于庆历,再盛于宣和,而女真之祸成矣;三盛于淳熙,四盛于嘉定,而蒙古之师至矣。然则书自六朝之后,复有五厄:大业一也,天宝二也,广明三也,靖康四也,绍定五也。通前为十厄矣。

　　等而论之,则古今书籍,盛聚之时,大厄之会,各有八焉:春秋也,西汉也,萧梁也,隋文也,开元也,太和也,庆历也,淳熙也,皆盛聚之时也。祖龙也,新莽也,萧绎也,隋炀也,安、史也,黄巢也,女真也,蒙古也,皆大厄之会也。东京之季,纂辑无闻。魏晋之间,采摭未备。卓、曜诸凶,摧颓余烬。于聚于厄,俱未足云。

　　古今坟籍之厄,秦固诛首,莽即次之。盖秦所焚率三代上书,西汉稍稍鸠集,莽又继之,故靡尺简也。唐之厄,厄于叛贼。宋之厄,厄于裔夷。彼非有意于焚,兵烬所经,玉石俱毁,况书宜火物也。独湘东以文士甘心焉。罪浮政矣,炀虽雅尚,卒以不道祸延,薄乎云尔。

　　大抵历朝坟籍,自唐以前,概见《隋志》。宋兴而后,《通考》为详。第其卷帙之数,往往异同。缘诸家辑录,或但纪当时,或通志一代,或因仍重复,或节略猥凡。故刘、班接迹,繁简顿殊。三谢并兴,多寡悬绝。即博洽之流,勤于论核,而疑似之迹,未易精详。今纻绎群言,旁参各代,推寻事势,考定异同,录其灼然者于左:

　　西汉三万三千九十卷。刘歆《七略》总目。《旧唐书》九十作九百非是。据班《志》所省十家三百余篇,而所增又数十篇，仅得后数，与此不合。然他无可考。

东汉一万三千二百六十九卷。班固《艺文志》总目。本刘氏《七略》，入刘向、扬雄等儒术三家，省伊尹、墨子、兵类十家，东汉无增者。

晋二万九千九百四十五卷。荀勖《四部总目》书不存，见《隋志》序。《旧唐书》作二万七千九百五十四卷。

东晋三千一十四卷。李充校定止此，惠、怀之乱故也。

东晋孝武增益三万余卷。徐广校定，见《崇文总目》序。

宋万四千五百八十二卷。谢灵运所校，《隋志》以为六万。案六代间书尚难得。晋度江才得三千，孝武时三万，恐亦重复。宋初何遽能尔，当以《旧唐书》为正。阮氏《七录》数同。

齐万五千七十四卷。王俭校修《隋志》，作一万五千七百四卷。

齐永明增益一万八千一十卷。谢朓、王亮修诸家皆同。

梁二万三千一百六卷。任昉部集。凡释氏书不与。

梁普通增集三万余卷。阮孝绪《七录》总目。盖梁世荐绅家藏，并在其中。秘书则或因任昉之旧，然释、道二典，并存其间。则所增亦才数千，而梁世之书尽此矣。

隋初一万五千余卷。见牛弘进书表。此时合正副本仅三万余，湘东煨烬所存，并平陈所得也。

隋大业中三万七千余卷。柳䚅等校定。总三十七万卷。正本进御仅此。然《隋志》总目八万九千余卷，盖柳氏校定之后，或有所增，或唐诸人据前代旧目，芟除猥杂，会为此编也。诸史艺文皆草草，惟《隋志》盛欲备一家言，追刘、王、阮氏诸书，序意可见大都。

唐开元中八万二千三百八十四卷。《新唐书》序。总《旧唐书》止五万六千四百七十六卷，盖释、道二家不与，及唐人自著不全入也。

唐开成中五万六千四百七十六卷。《旧唐志》序所载。是时搜录，未必如前之盛，盖释、道本朝具录矣。

宋庆历中三万六百六十九卷。王尧臣《崇文总目》。后屡增益，至四万余卷。

宋淳熙中四万四千八十六卷。陈骙等《四库书目》。后屡增益，至五万九十余卷。

考诸史艺文志，往往与当时书目相左。《隋》三万七千，而《志》八万九千六百六十六卷。《唐》八万二千，而《旧唐》后序十二万五千九百六卷。宋《崇文目》四万，《中兴目》五万，而《史》十一万九千九百七十二卷。盖史或会萃一代，志但纪录一时，故不无异同，而《宋史》则深可疑也。

古今书籍，人知其厄于火，而不知其厄于水者二焉。隋嘉则殿书，寇乱亡轶，武德初尚八万卷。王世充平，命司农少卿宋遵贵，以舟载之，行经砥柱，漂没风浪，十仅二三。见《隋志》及《旧唐书·经籍志》后序，俱云存者无几。《新唐志》以尽亡其书，盖信笔不考之过也。次则汉兰台、石室诸书，董卓迁都，载舟西上，因罹寇盗，沉溺河中，仅数船存。此一事，他书不载，独《旧唐·经籍志》后序记此。考光武迁都，书籍二千余两，诸家以为三倍于前，固非实录，而时无纂辑，尺简不传，惜哉！

凡前代书籍之厄，史皆备书，独隋世篇籍最盛，而诸志不言所终。考隋世诸书，咸在东都。炀幸广陵，东都守御独完。自王世充降唐，唐尽收其图史，仅八万卷，中间未尝被火，向之藏蓄之盛，竟何在邪？惟杜宝《大业江都记》云，隋书籍三十七万，悉焚于广陵。当是实录。盖隋炀酷嗜经典，既欲徙都广陵，必尽载诸书自从。洛阳八万，意当时副本耳。宋书籍绍定间复灾，所存者尚众。德祐航海，蒙古之难，又荡然矣。观此则图籍废兴,大概关系国家气运,岂小小哉!

## [清]曹溶《流通古书约》

自宋以来书目,十有余种,灿然可观。按实求之,其书十不存四五,非尽久远散佚也。不善藏者,护惜所有,以独得为可矜,以公诸世为失策也。故入常人手,犹有传观之望;一归藏书家,无不绨锦为衣,旃檀作室,扃钥以为常。有问焉则答无有,举世曾不得寓目,虽使人致疑于散佚,不足怪矣。

近来雕板盛行,烟煤塞眼,挟资入贾肆,可立致数万卷。于中求未见籍,如采玉深崖,旦夕莫觊。当念古人竭一生辛力,辛苦成书,大不易事。渺渺千百岁,崎岖兵攘劫夺之余,仅而获免,可称至幸。又幸而遇赏音者,知蓄之珍之,谓当绣梓通行,否亦广诸好事。何计不出此,使单行之本,寄箧笥为命,稍不致慎,形踪永绝,只以空名挂目录中,自非与古人深仇重怨,不应若尔。然其间有不当专罪吝惜者。时贤解借书,不解还书,改一瓻为一痴,见之往记,即不乏忠信自秉、然诺不欺之流。书既出门,舟车道路,摇摇莫定,或僮仆狼藉,或水火告灾,时出意料之外,不借未可尽非。特我不借人,人亦决不借我,封己守株,纵累岁月,无所增益,收藏者何取焉。

予今酌一简便法:彼此藏书家各就观目录,标出所缺者,先经注,次史逸,次文集,次杂说,视所著门类同、时代先后同、卷帙多寡同,约定有无相易,则主人自命门下之役,精工缮写,校对无误,一两月间,各赍所钞互换。此法有数善:好书不出户庭也,有功于古人也,己所藏日以富也,楚南燕北皆可行也。敬告同志,鉴而听许。或曰:此贫者事也。有力者不然,但节谦游玩好诸费,可以成就古人,与之续命。出未经刊布者,寿之枣梨,始小本,讫巨编,渐次恢扩,四方必有闻风接响以表章散帙为身任者。山潜冢秘，羡衍人间，甚或出十余种目录外，嗜奇之子，因之覃精力学，充拓见闻。

右文之代，宜有此祯祥，予矫首跂足俟之矣。倦圃老人曹溶约。

## 清高宗乾隆四十九年(1784)二月二十一日诏(节选)

前因江浙为人文渊薮，特降谕旨，发给内帑，缮写《四库全书》三分，于扬州文汇阁、镇江文宗阁、杭州文澜阁各藏庋一分，原以嘉惠士林，俾得就近抄录传观，用光文治。第恐地方大吏过于珍护，读书嗜古之士无由得窥美富，广布流传，是千缃万帙，徒为插架之供，无俾观摩之宝，殊非朕崇文典学、传示无穷之意。将来全书缮竣，分贮三阁后，如有愿读中秘书者，许其陆续领出，广为传写。全书本有总目，易于检查，只须派委妥员董司其事，设立收发档案，登注明晰，并晓谕借钞士子加意珍惜，毋致遗失污损，俾艺林多士，均得殚见洽闻，以副朕乐育人才、稽古右文之至意。